不管 15 歲、35 歲、55 歲或 85 歲，

與這本書相遇，總會看見光，照亮旅程的前方。

2018.11.20

無歧行

首部曲

無｜歧｜地

林秀兒

天鵬文化

念起，剎那間；
點落，隨意飄。
線行，彎彎曲曲；
沒了對錯，沒了美醜，
只有當下。

當下，隨機隨緣，
沒了藍圖，沒了計畫，
直覺進出、延續、轉彎、纏繞，
飄忽著，剎那的幽微。

幽微，存在；
穿透著角色、故事、異世界的狀態，
投射出心靈意識與平行世界的真實；
給了讀者，多維觀看、思考、探究的媒介，
誘引觀者，進入內在世界、心靈時空。

推薦序

時空行者
輕快優雅的冒險史詩

黃海
資深作家、評論者

中西合璧，不可思議的太空《西遊記》和科幻意謂的宇宙《奧德塞》，暗示出一場實相追尋之旅。以幽微幻化之姿，呈現優雅迷人的追尋；以美麗歌聲，唱出現代、後現代的宇宙和心靈探險，深具玄妙哲理，空靈之美。

讀者們，如果你打開這本書，想要看看時空戰士叱咤風雲，在太空中揮舞光劍或激光槍、發射雷射砲、穿越蟲洞、有如都市般大的太空船瞬間移動飛行，與太空邪魔激戰，你會大感意外。

原來，《無歧行》三部曲，是如此恬淡與壯麗，如歌如詩，輕快優雅的冒險史詩。

是少年童話，也是成人寓言

《無歧行》三部曲，主角們從啟程、流浪冒險到回家，在虛虛實實的時空中旅行，來來去去，去了又來，從亙古到未知的遠方，探索生命與撥開未知的渾沌。整部書，以幽微幻化之姿，呈現了優雅迷人的追尋之旅；以美麗歌聲唱出現代、後現代的宇宙和心靈探險；是少年童話，也是成人寓言；是太空《西遊記》，融合了太空《奧德塞》的精神。

故事的深層肌理，應是作者半生心靈體悟。這樣一部二十二萬字的大著，林秀兒窮盡八年的時光，用心打磨編結的作品，無疑是作者生命與思想的投射，是她對宇宙真理與生命真實的自我叩問。

文中不時出現的「時空戰士」一詞，毋寧說是「時空旅人」、「時空行者」，沒有悽慘的仇怨，沒有激烈的廝殺砲火，沒有毀滅戰爭或恐怖死亡，更多的是在

奇思幻境中，面對宇宙生命的永恆追尋。雖然是少年小說，卻探索了少年成長之後屬於成人領域的未知。

林秀兒，這一顆燦亮星星，能畫能寫能講，活力十足，致力推廣動態閱讀二十多年，說她多才多藝是小看她了，她把兒童文學當作信仰，也擅長做田野調查，甚且漫遊多國文化環境，基於對文學、藝術的滲透，耗盡心血，完成了這部大著。

什麼是「無歧地」、「無歧行」，如果你望文生義，猜謎似的讀下去，到了中途也許就有所開悟了。無歧地，也許無奇不有之地，還有其他的意涵，等著你去揭開詮釋，不難找到合適答案。

縹緲玄妙，嚴肅哲思的探究

布幕拉開時，密令下達，是誰下的密令，密令從何而來，完全不知道，充滿玄祕未知，有如存在主義的思維，旅人們只能執行，任何行動只能依著密令而來。故事起於現代，主要人物是以行、稚盈、阿光三位少男少女，三人成團，不知不覺對應了《西遊記》裡，跟隨三藏取經的三個徒弟。主角之一的名字「以行」，隱喻孫行者，至於師父嘛，就是那密令吧，啊哈，等下觀世音也來了，擔任文化檢測的關世英，不是嗎？

建造時空梭，是為了文化傳承與建設的根本工程。首航目的是「搶救神話」，因為，神話能傳遞宇宙生命的終極意義，如此縹緲虛幻，又義正詞嚴，表達了玄妙哲理之美。神話只是想像、隱喻的故事，也許從來就不是真的，小說的結尾提示了真相，到神話中走一遭，是生活的必需，讓人有深沉的感悟，畢竟神話中保留了人類原始的真實。

情節推進圓融剔透，「無歧行」的命題，意味著不可思議的旅程，不是朝向科幻或科技的驚奇，是導向了浪漫步調卻浸染了嚴肅玄妙的時空遊戲。

原來，作者秀兒曾經一度用心鑽研，深深墜入 **E.B.** 懷特的奇幻文學世界，還完成了《**E.B.** 懷特奇幻文學網》的研究論述。我們恍然大悟，懷特的浪漫主義、現代主義、存在主義和後現代主義的創作觀點，可能深深的攫住秀兒的心靈，《無歧行》裡裡外外融合了懷特作品的風味。文中反覆表述「無就是我，我就是無；一無是處，一無非處……」是如此的存在主義和後現代，有如佛家偈語；於是，密令無所不在，但又不知從何而來，也不知是誰下達的，只知道必須前往宇宙冒險。這樣的設定，不是傳統的寫作思維。

現實與幻想，中西合璧，瑰麗交響樂

懷特的奇幻文學，被歸為現代幻想文學，他的「童話小說化」也成為秀兒的文學實踐。懷特《夏綠蒂的網》以簡單和樸素的聲音敘說故事，秀兒的童話小說的每一句行文，短而淺，意也真，簡單樸實而優雅，深具空靈之美。

珍・葦柏（Jean Webb）評論《夏綠蒂的網》，是現代主義小說，它聯結寫實與幻想兩種文類，也運用浪漫主義、現代主義與存在主義，探索諸多生命議題，我們則在《無歧行》三部曲，看到現實與幻想兩者之間，具體而奔放的交響演奏。

《希臘神話》也提供了秀兒想像魅力，注入她的作品血脈。三部曲給了我們一場玄妙無比，並兼帶有科幻意味的宇宙奧德塞，哲思無限。主角們首航離家，經歷冒險以至返家的壯麗曲折之旅，童話小說文字劈哩嘩啦傾瀉而出，有如一闋又一闋雄渾樂章，輕快筆觸所及的畫面色彩和聲音軌跡，浪漫迴遊，人物穿梭天外天，迷航飄盪，最終找到回家的路，這和荷馬史詩《奧德塞》主人翁的偉大冒險精神是一致的。

美國著名的科幻學者詹姆斯甘恩（James Gunn）在他六大冊的巨著《科幻之路》序文說道「《奧德塞》是對已知世界的一次假想探險，其中也有對未知世界的推測，而未知世界因無人涉足更具魅力。」如果把《奧德塞》的旅行放在太空裡，人物穿上太空裝，便是有如一般科幻小說所呈現的「驚異之情」。《奧德塞》無疑是所有科幻奇幻作品的原形，林秀兒的《無歧行》將現實與幻想融為一體，是這一原形的彰顯。秀兒將之中西合璧，思路中融合了《西遊記》的取經之旅。

詩性童話小說，吟唱量子實相

一如懷特的作品，秀兒同樣以童話小說的格式揮灑，別具一格，加入諸多虛幻元素，出現了宇宙探發局、星系圖、寶藏屋、獨角獸、機器犬、小雞盤、百馬圖、四頁天書、太初蛋，奇妙的科幻道具不一而足；無線腦機，收集旅人的想法資訊，規劃旅程；或者，「有的沒的，沒有有的和沒有沒的，有無的和沒有無的，沒有無的和沒有沒有無的」層層包覆，彼此穿透，堆積如山的寶物以粒子緩慢流動著，旅人也化身成粒子，看著物質死去又活來，看著一切什物波動；類似以上這樣玄奇抽象，俏皮詼諧的敘述，暗示這是一場實相追尋之旅，為了探究靈魂深處的真實，有如夢幻般的遊戲。

第二部《忽巃島》出現了飄移的忽巃島、樹精、搥丸遊戲、古墨海、虛擬牆、鐘鼎怪。第三部《異星棧》神話號時空梭正式啟行，經歷綠林坵、時空堡、白光堂、黑魔域，告別舊有世界，質化躍升，在荒涼闃寂的時空裡，晃悠著詩的步子，他們也能潛入意識海的底層，看見一切鏡像，竟是幻化無常，遇見大巨怪，而無意義的虛點，就是實存處。

這樣的敘述，讓人想起量子力學的說法，我們的世界是虛假的，包括你我的存在，都只是波的作用而已。時空梭，以旅人的思想力，作為真正航道的依據，以旅人的願望，作為續航力的調度火花，這一點和現代發現的不明飛行物體的駕駛，是外星人使用意念操控的說法，竟然一致。旅人的起心動念，不論無知無覺，或是了然知覺，都會攜帶念力，影響航程。遇見的妖魔鬼怪和展開的戰役，行吟詩人的唱腔流瀉出歌詞，讓整個三部曲，顯現出童話與詩氣質的小說。

既然「無就是我，我就是無」、「是空非空，無有在其中，虛空中，並不是空空如也，而是存在著所有物質的本來……」且讓我們期待，秀兒在《無歧行》之後，又將繼續出發寫出更壯大的遠行史詩。

推薦序

從巴什拉《夢想的詩學》邂逅《無歧行》三部曲——

杜明城
國立台東大學兒童文學研究所 教授

孤獨是童年極可貴的領土，也是夢想的棲息化育之地。
童年與暮年，循環返復，融而為一。

閱讀林秀兒的《無歧行》三部曲時，我正好帶研究生討論法國思想家巴什拉 (Gaston Bachelard) 晚期的著作《夢想的詩學》(*The Poetics of Reverie*)。巴什拉以榮格的學說為經緯，雖是學術著作，但筆法飽含詩意，信手引述文學作品，彷彿為他所弘揚的夢想身體力行，通篇主張陰性特質的阿尼瑪 (Anima) 乃文學靈魂之所繫。我們戲稱榮格學貫中西，其學說旨在尋求精神之圓融，美妙而迷人，似乎有道盡宇宙與生命奧秘的玄機。但若從科學否證的立場加以考察，說了半天也等於沒說。《夢想的詩學》文筆頗為隨興，似乎不準備以嚴謹的邏輯說服讀者，對榮格如此深信不疑，實在令人困惑。但話說回來，巴什拉是二十世紀舉足輕重的科學哲學家，他從現象學的觀點切入，認為文學無非是意向 (intentionality) 的作用，創作無疑是主體種種無意識力量匯集的成果。一般認為，原型心理學帶有神祕色彩，但似乎又與當代科幻小說密不可分的量子物理學和相對論頗有共通之處，只是方法不同，詞彙有別罷了。

由於順序上的誤讀，我先瀏覽了《無岐行》三部曲的第二部《忽巄島》。我隨著意識牽引著讀，只覺得似懂非懂，人物與情節都有點模糊。於是我翻閱到作者本人的自述〈從生命迷宮到文學荒原〉，訴說著她從童年到年過不惑的生命歷程，彷彿遊走在現實與夢想之間，虛實相互為用。我突然有心領神會之感，《無岐地》固然採取科幻小說的形式，卻是不折不扣林秀兒個人生命史的投射。《夢想的詩學》獨闢一章探討童年的夢想，而《無岐行》三部曲的情節、對話與想像正好呼應了童年與夢想的交互關係。《夢想的詩學》似乎巧妙地提供了我解讀林秀兒的符碼，我不禁想到榮格所謂的共時性 (synchronicity)，一種非因果關係的巧合。

佛洛依德的精神分析 (psychoanalysis) 與榮格的分析心理學 (analytical psychology) 都把童年的心理現象做為探視人類心靈的主軸，但從巴什拉的觀點，兩者的取向卻大異其趣。他認為精神分析讓所有了不起的詩人都降格為凡人，而榮格的阿尼瑪卻可能讓不起眼的作者閃爍生輝！前者看到的童年都充滿著缺憾，而後者是童年為個體化歷程的根苗。巴什拉是這麼說的：

> 「夢想中的人穿過了人所有的年紀，從童年至老年，都沒有衰老。這就是為什麼在生命的暮年，當人們努力使童年的夢想再現時，會感到夢想的重迭。」(127)

> 「孩子的孤獨比成年人的孤獨更隱秘。經常是到了生命的暮年，我們

才發現那深深隱藏著我們孩提時代的孤獨，我們少年時代的孤獨。在生命最後的1/4時期，人們將老年的孤獨反射到被遺忘的童年孤獨上，才理解到生活最初1/4時期的孤獨。夢想的孩子是孤單的，極端孤單的。他生活在他夢想的世界中，他的孤獨不像成年人的孤獨那樣具有社會性，那樣與社會形成抗衡。孩子有一種對孤獨的自然夢想，這種夢想不能與賭氣孩子的夢想混為一談。在他感到幸福的孤獨中，愛夢想的孩子進入宇宙性的夢想，即是我們與世界合為一體的夢想。」(135)

「孩子的想像翱翔的天地並不是這化石般的神話，不是這神話般的化石，而是他本身的神話。孩子是在自身的夢想中發現神話，發現他不向任何人講的神話。那時，神話即生活本身。」(149)

我引述了以上三段文字來呼應林秀兒的自述，也從巴什拉對於孤獨童年的思維來欣賞《無歧行》三部曲。感同身受作者搭上名為「神話號」的時空梭，遨遊在各種靈魂歷險的超時空。童年時期家庭生活的點點滴滴，在首部曲的人物對話裡找到記憶的歸宿。孤獨是童年極可貴的領土，也是夢想的棲息化育之地。童年與暮年，循環返復，融而為一。線性的時間先後只是宇宙的一種可能，於是，我發現自己逆讀《無歧行》三部曲竟也有另一番恍然的趣味。

我沒有從科幻小說的角度來欣賞《無歧行》三部曲，事實上，這部作品同時也蘊含了豐富的童話與奇幻小說的要素。就我的閱讀所及，林秀兒的作品是一項頗有野心的嘗試，也是很具有知性趣味的創新。我毋寧相信這是作者本人生命史的文學偽裝，字裡行間處處閃爍著她對於時間與生命的驚嘆、了悟與真誠！

引用資料：

加斯東·巴什拉著，劉自強譯《夢想的詩學》北京：三聯書局，1996.6

推薦序

回到最初的地方

李明珊
兒童文學家／教師

「無論遠到多遠的至遠處，還是在至近處，就在生命的本來，生命的核心啊！」

林秀兒在她的最新力作《無歧行》三部曲中，藉由一場場迷離奇幻的時空旅行，反覆地叩問生命的本質。

作者發揮了無邊無際的想像力，佐以輕盈曼妙的文筆，創造了一個個靈動的異域，這異域可以說是陌生的他鄉，也可以說是熟悉的故鄉，「它」存在於每個人的心底深處，也是每個人的所來之處。

作者擅長刻畫人的心理轉折及其幽微的變化，與書中所透露的哲學性思考，相映成趣。閱讀此書，恍若進入一條悠遠而深沈的長河，在點點波光中，照見自己。

首部曲《無歧地》，故事一開始，書中三位充滿熱情的少年，在網路上無意發現時空旅行的訊息，搶票成功後，懞懞懂懂地進入另一個時空。作者若有似無的營造出一個個神妙的場景，如稚盈在噗突抱竹圖書館前方，目睹一大群來自四面八方的鳥兒，在一位銀髮老嫗的環視之中飛翔，如百鳥朝鳳般翩翩起舞，這似乎暗示著即將展開的奇幻旅程。

而在「八面鏡廳」裡，以行在鏡子與鏡子之間閃躲奔竄，意謂著人在人際、社會與世界的鏡像中迷亂而失去自我。而後在一連串「不得其門而入」的誤打誤撞之後，旅人們隨著聲波，跨越語言文字的障礙，來到了狀似插播在原始綠林裡的「宇宙探發局」，而阿光卻在自卑心理及固有成見的作祟下，抗拒起自己像「東西」一般的轉交到「引路人」的手裡。不論如何，他們終究一起進入了層疊波動的「寶藏屋」，初識了宇宙之書。未被開啟的奇異天書，是一顆烏金打造的「太初蛋」，敘說著整個世間、宇宙的生成化滅的實相。

正式踏上旅程之前，時空旅人接受「文化潛血脈」的施測，每人選擇了屬於自己的時空旅程，也發現了他們所背負的使命與任務，那就是「搶救神話」。因為神話顯現了生命的本質，誠如作者所言：「每一趟時空旅行，會是自我追尋的歷程。真正的旅程，就能還原神話，走向回歸的大道。」

二部曲《忽巄島》，時空旅人們在旅程中遇到的種種事物，都有其象徵意涵與隱喻，也引發了旅人們內心的自我辯證。例如：「樹精」象徵友誼的高貴與情感的牽絆，而旅人終能發出善意，與之進退踩出優雅美麗的步伐。「古墨海」隱喻文字裡的意識交流，在墨黑的浪潮中可以創造出新的時光；「蛇牆」暗指物質世界的絢麗，但一不留意就會被其迷幻的表象迷惑，慾望如厚牆般阻撓心靈的去路；「時間鐘」指涉人的心理時間，如蝸牛般慢步或如流沙般快活，人們時常被困在時間裡，殊不知時間隙中剎那即永恆的真諦。「銅鼎怪」鏗鏘有力，看似銅牆鐵壁的阻力，卻是最忠誠的護法，考驗旅人是否真有「一言九鼎」的誓願與決心。

三部曲《異星棧》，旅人正式蛻變為時空戰士，因為他們面臨一場又一場的戰役，他們的旅程進入了更深層的異次元世界。這戰役源自於自我內在的衝突，也同時是對現實世界的挑戰。如榮格所言：「領悟陰影，是人類的責任與義務。」書中的三位主人翁，若想要真正理解自我內在的陰影，不能光用腦子，還必須付諸行動，親身體驗。

於是他們搭上了時空梭，到了不同的國度。在「烏里哲索星」中，以行等人面臨失衡邊緣，體驗到自己是億萬光年中演化的一顆恆星，看見自己極微細的粒子及極巨大的能量。在「罵爾星」中，赤煉火光延燒大海，阿光奮不顧身試圖救出火海裡的父母，緊接著與自己內心棧戀權杖的大巨怪搏鬥。在「墟冥思星」中，稚盈親炙女媧造人的溫暖境遇，也揭開過往母親離去的那一段悲傷記憶，向自己頑固的意識宣戰，並與異性夥伴們經歷了青春期的騷動與不安，走向回家的路。誠如作者所言：「越是黑暗，越需要勇敢地搗碎平日生活中那套思維模式和價值判斷系統，拆卸身上的行囊，為自己掙得一方新天地。」

此套書蘊含大量豐富的訊息，字字珠璣，饒富真理，意旨閎深，細細咀嚼，方能體會其中三昧。書中指出「念頭」的重要性，人們因為念頭流浪生死，忘記自己的本來面目，而將自己困在物質世界中。而意識的波動，能創造出一個又一個不同的時空維度，也能造化出宇宙萬物。三位時空戰士，因為擁有「年輕心靈」，才能進入另一個時空，在旅程中提取一個又一個奇異微小質素，使自己有了更深的領悟。

密令無所不在，只是旅人需要保持敏銳度，才能接受召喚，並加以感知與觀照。欲展開「無歧行」，令人聯想到老子道德經中所云：「致虛極，守靜篤。萬物並作，無以觀復。夫物芸芸，各復歸其根，歸根曰靜，是謂復命。」吾人需要歷經一番「靜、定、安、慮、得」的自我修持，方能回到那最初的地方。

貫穿整本書的主旨乃是：「一場探索宇宙生命的實相之旅」，而我認為作者本身仿若時空戰士，她勇於闖蕩，展開一次又一次自我的心靈冒險，讓身為讀者的時空旅人，循著她的足跡，踏上她為我們悉心鋪陳、一條多彩的西天取經之路。沿路疊影複沓，柳暗花明，但終能一步一步接近心靈的原鄉。

日本心理學家河合隼雄在《閱讀孩子的書》中指出：「當我們和靈魂世界發生聯繫時，那種奇妙的命運，那些發生的事件都是一種必然。」與同學秀兒結識，在書中認識到更完整的她，並為此書寫序……種種機緣湊巧，像是讓我們成為這偶然中的必然，在宇宙洪荒中的某條通道相遇。

閱讀此套書，除了感受到作者文字獨特的美感，更能體會到作者的匠心獨運及其對生命的終極關懷。我認為這套書跳脫了一般小說的書寫形式，像是一套揉合了神話與寓言性質的哲學小說，需要放慢腳步，細細品讀。所謂「你的洞見有多深，你的解脫就有多少」，生存在這個熙熙攘攘、紛紛擾擾的世界，我們需珍惜光明美好的一面，同情陰影的存在，不再恐懼，將一份理解化為內在的力量，繼續向前走去。

這是一套引人深思與探究的奇書，誠摯推薦！

作者序

從生命迷宮到文學荒原

故事，遠從亙古綿延傳來，還向著未知遠方傳去。
故事人說故事，說真說假通天地，故事真章達宇宙，
就這樣，邁上生命的終極旅程，契入故事渾沌大力量。

最初的質問

小時候，總是愛跳格子、扮家家酒、躲貓貓等遊戲；大稻埕，就是童年的歡樂天堂。

那時，活蹦亂跳，貪玩的心，總是不解家中的小黑狗，為什麼老是趴在冬日暖陽下，一動也不動？大白鷺，為什麼總在池塘邊，站成一副雕像樣，一動也不動？童稚的心，就是好奇，就是不明白，而有了最初的質問。

可是，在那個有耳無嘴的時空裡，習慣性地，把不明白的事情，留在小腦袋瓜裡；順從地，選擇做一個聽話的小女孩，好博得大人的稱讚與肯認。

國小六年級，是童年的尾聲。有一天，看著站在竹籬邊餵雞群的媽媽，好奇地想著，媽媽的身體，怎麼會是圓滾滾的？印象中，似乎直到那時，才第一次看到媽媽，變得那麼胖。

矇矇懂懂的童年，就是好奇，就是不明白，而有了對生命的質問。

可是，在那有耳無嘴的歲月裡，習慣性地，把不明白，留在小腦袋瓜裡，暗暗翻攪。

因此，早早就知道，話語之前，是想，還愛胡思亂想地，陷入自己的幻想國度裡。

有一天，林老師跟我說：「下了課，直接回家，別出門玩。你啊，多了一個弟弟囉！」

「多了一個弟弟？怎麼會呢？」矇昧無知的自己，無力回應，突如其來的變

化。待要轉身離去時，又聽到林老師喃喃自語：「幹嘛多生一個？」

剎時，真不知為哪樁，紅了臉，沒來由的，羞愧不已！然後，不知所措地，興起一陣惱怒。

下課時，進了兩棵大榕樹拱成的綠庭門，踏上大稻埕，就聽到娃娃的哭聲，於是，飛奔入屋。

迎面而來，竟是堆得像小山般的尿布，剎時，止住飛奔的短腿，措手不及地，紅了眼，淚珠在眼眶裡打轉。

這一幕，爸爸瞧在眼裡，什麼話也沒說。隔天，家裡就多了一臺未曾見過的洗衣機。

有一天，媽媽遞給我小弟的奶瓶說：「給妳，把它喝掉。」接過奶瓶，聽話的打開瓶嘴，直往嘴巴送，剎時，未曾聞過的奶臭味，驚得我緊閉口鼻，偷偷地，握著奶瓶，走向屋後的龍眼樹，看著樹下的餿水桶，自我衝突不已！

「小弟什麼都沒吃，只喝奶水，就能長大。這奶水，是生命之泉。」

「可是，這——好恐怖喔！」

「隨便糟蹋食物，會被雷公劈死。」

「可是，我就是怕啊！」

不得不，我又舉起奶瓶，緊捏鼻子，硬逼自己，就要灌進從未喝過的嬰兒奶水；突然，一陣噁心，作嘔起來，只好作罷。然後，雙手捧著奶瓶，對著龍眼樹和餿水桶，恭恭敬敬地，行了三鞠躬，邊拜邊唸唸有詞：「雷公伯，對不起，我不是故意的，我實在不敢喝，喝不下去啊！雷公伯，請不要劈我，我會乖乖啦！」然後，慎重的把每一滴奶水，倒進餿水桶，才安了心。

無語的省思

國小畢業時，所有的玩伴，不管大小，都會騎單車，都能在大稻埕轉圈子，在顛仆泥地上追風。而自己只能站在大稻埕邊，乾瞪眼。新生訓練前一天的午後，爸爸牽回一輛嶄新的寶藍色腳踏車，在大稻埕上跟我說：「這輛腳踏車給妳。」

我盯著腳踏車，什麼話也沒說。

「走路去明倫，要一個鐘頭。妳自己決定，要走路上學，還是騎車上學。」

爸爸說完話，就把腳踏車和我，晾在大稻埕上，自行離去了。

結果，半個鐘頭後，我自己騎上腳踏車，追風去了。

那一天，爸爸送給我的寶貝，不只是嶄新的腳踏車，還有絕對的信任。

爸爸的信任，給了我信心，給了我自主權，克服了多想的害怕，滋生了一種我能我行的信念根苗。

這些童稚曚昧的記憶，自導自演的戲碼，一直殘留在腦海裡飄盪，三不五時蹦跳著，讓我忘不了。日復一日，這些個曚昧無知的記憶與自我質問，累積出意識能量，添了企圖心，成了一種內在需求，直想搞清楚，我是誰？

這樣的內在需求，在第一次接觸到英文版的《希臘神話》時，隔閡的語言，陌生的文化，根本就看不懂那些糾葛的權力慾望、龐雜混亂的眾神族譜和玄思異想的浪漫故事，卻又盲目地，受到某種不明的召喚，而騷動不已！

下課時，總是緊黏老教授，追問著不知是什麼的東西，陷溺在神話迷宮裡，不可自拔。學期要結束時，教授語重心長的提醒我：「別太著迷，這樣子，會餓肚子。」

師長的話，是關愛與護持，卻嚇壞了我，斷然地，把神話拋得遠遠的，不再追著虛無飄渺的幻想夢境。對於我來說，這事關係著基本需求，關係著獨立，關係著能不能存活的事實。於是，心念一轉，就煩忙於現實生活的追求，不經意間，也深埋了探問真相的小種籽。

謎團的糾結

想當年，村姑如我，對校園世界，仍是青澀迷茫；對未來人生，更是徬徨無知。面對週遭事物，腦袋瓜卻又總是迅速波動特強的電波訊息，無知無覺地，多想了些什麼，而有了不必要的苦楚；莫名其妙地，想多了些什麼，而有了不必要的害羞、不安、逃避、恐懼，老是陷入自我折騰，還自以為是。

大學畢業後，結了婚，為人妻，為人媳，為人母，忘了大海，忘了藍天，忘了自己，成了拴繫纜繩的一葉扁舟，搖晃在定錨的港灣裡。

港灣裡的一葉扁舟，躲開了外頭的颶風巨浪，卻躲不了閉塞狹隘時空裡的內在風暴。於是，芝麻綠豆，雞毛蒜皮，都有可能在定錨的港灣裡，翻攪出沒必要的浪濤，挑戰著跨出原生家庭和校園保護傘的自己。

還好，執拗於愛，挺過了風暴；因著愛，浸淫於親子共讀中，乘著故事文學的羽翼，平衡了柴米油鹽醬醋茶的現實，告別了像《糖果屋》中，潛伏的飢餓恐慌感，翱翔於物質世界與文學時空。

旅歐期間，一家人時常漫遊於多元文化國境，走馬看花地，出出入入不少博物

館。看到畢卡索的原稿畫，曾直白的對兒子說：「畢卡索的畫，很像你的畫耶！」

「醜死了。」六歲的兒子，氣的不得了。

我卻困惑著，這麼有名氣的大家，怎麼會有這樣的塗鴉？

在佛羅倫斯，李奧納多・達文西博物館，驚嘆著：「他怎麼可能畫出《蒙娜麗莎》、《最後的晚餐》等曠世巨作，卻又是科學家、工程學家、幾何學家、物理學家？他怎能擁有如此超乎想像的獨特創意與博學呢？」那時，真不知是崇拜，還是其他原因，買了一件絕對不會穿的T恤，留存在衣櫃裡二十多年，直到家中遭白蟻之害，才不得不丟棄。但是，維特魯威人（Vitruvian Man）的圖案，卻圖騰般烙印在我的腦袋裡。

謎團的拆解

一九九四年回國後，寫寫故事、兒歌，親炙兒童哲學，經營非營利公益社團，成為故事人，走上閱讀推廣路。有一天，老友突然跟我說：「妳的說話聲，沒有了童音耶！」

「啊，都三十七歲了。」剎時，一陣驚心，撞見未知的自己，暗自吶喊著：「爸爸呀，你在秀兒的名字裡，藏了什麼樣的生命密碼啊！」

時光匆匆，一場場的生活實驗，就從懵懵懂懂，跌跌撞撞中，通過了文學、閱讀研究與服務學習的生活場子，點點滴滴，修正了自我看待萬事萬物的觀點與態度，擺盪在我是誰？誰是我？的無形網絡裡，探看省思自己。不知不覺中，揮灑了最熱情洋溢、勇猛衝撞的壯年歲月，玩閱讀，賞文學；走過校園，走過社區，走過偏鄉，走入世界，也走入內在思維，走在崎嶇心路上；日積月累的經驗堆疊，行動研究，建構出《動態閱讀》，走出故事人動態閱讀路。

兒童文學，成了我的信仰。

然而，旅程中光覆著光，影藏著影，一遍遍高聲吟唱，動態閱讀的副歌，認真看待不起眼、被忽視的事物，行走在兒童文學圈外的荒原裡，一遍遍俯首叩問，生命的主旋律。

為什麼林布蘭老愛畫著一張又一張的自畫像？

為什麼畢卡索每一個階段的藝術表現，會如此的不一樣？

為什麼哲學大師維根斯坦〈Ludwig Josef Johann Wittgenstein〉、維高斯基〈Lev Semenovich Vygotsky〉、海德格〈Martin Heidegger〉等，會在自我比對、自我批

判中，再構出更高超的論述？

二〇〇四～六年間，經年辦理新住民親子共讀，並且，以動態閱讀兒童文學，進行新住民華語文學習歷程研究。當時，每週兩次，不僅置身於多元文化的生活場，感同身受著異鄉人的疏離感與新鮮感，更是深陷語言的戰場。一場場的教學實踐，不斷挑戰著當下的思維，感受，情緒，直覺和語言的跨界操弄與傳達；三不五時，就要動用肢體、表情、角色扮演、遊戲等動態閱讀策略，跨文化的經營出動人的教學情境，遊走教室，才能與來自異國的姊妹們，有了真實溝通與真誠互動。

沒錯！

我們唯有真誠地，手牽手，心連心，才能有貼切真實的溝通，才能創造出意想不到的語文生命力。一場場的教學實踐，就在多了一點點什麼，少了一點點什麼中，理解了語言的虛實，激射出文學力，搓揉出生命交流的互動光輝，看見了更寬廣豐富的她與我。

多元文化教室，成了生命成長的超級殿堂。

在兒童文學研究所時，鑽研 E.B. 懷特童話。探究《夏綠蒂的網》（*Charlotte's Web*）時，撞見了自我重複湧現的深層恐懼，以心印證了小豬韋伯（Wilbur）的死亡陰影；同時，就在論述《E.B. 懷特奇幻文學網》的過程中，消解了自我叩問的生命主旋律，證悟了懷特生命行為的三部曲，洞悉了童年時，自己對小黑狗和白鷺鷥所提的最初質問，原來就是自我靈魂深處的渴望啊！

研究論述的完成，不僅強烈意識到懷特奇幻文學中，那些抽象形上的思維，傳達著關於「存在」的知識，也衷心肯認了「無名」卻「恆存」的天道與奧秘的存在，不知不覺中，內在就有了柔軟的堅持，樂於走出屬於自己的思維路，與社會互動，活出真正的自己。

幸運地，兒童文學，指引我回家之路；而動態閱讀，是實踐自我生命之道。

感謝文學，感謝 E.B. 懷特，感謝師長，感謝動態閱讀。

謎團的終結

走到這兒，已半百啦！

然而，我又不得不承認，文學研究論述的完成，只是世俗學位的獲得，只是思想的強大作用力，意識飽暖的生命狀態罷了！

因為，內在的深層恐懼，仍隱─隱─作─祟。甚至，因為撞見了死亡陰影；

它，因而進級幻化。在生活中，一再地出出沒沒，挑戰著我的能耐，是否真正與它相安無事，淡然共存。

因為，要不是完成了研究論述後，即刻地，投注在明確目標中，全然地，在短短兩個多月裡，深潛多元文化研究，田野調查，蒐集資料，埋頭創作十本繪本，完成了不可能的任務；我，是不可能活出嶄新的超越性生命狀態。

二〇〇八年的繪本創作，對我來說，是一趟極不可思議的創作旅程；從無到有，在極短的時間裡，沒日沒夜，使命必達的自我要求心緒，把自己的思維意識，激撞到天旋地轉的巔峰，不知不覺地，也把自己逼向世界的邊緣，遭遇了生命的終極試煉，靈魂的遊戲。

這話，說來確實有點難。

然而，事實就是這樣。

那一天，交出第十本文字創作稿《回外婆家》，歸還第一手田調資料，卸下緊繃心緒，無比輕鬆自在。可萬萬沒想到，卻經驗到由自己的深層恐懼，所發動創造出來，令我極度恐懼的物質能量，著著實實地，把自己逼入思維意識體的臨界點，經驗了天崩地裂的末日，告別了現實俱存的親友，孑然一身。

在那個奇點，多重意識作用下，我，跳脫時空，從更高的視野，無比清晰地，端看著世界末日的戲碼、無聲無動的肉體；終於，在此終極試煉中，放下了至深的死亡恐懼，體悟了本來就是的生命狀態，明白了物質世界是虛幻，是暫存；意識本體，才是永恆的真實存有。

於是，我死去活來般，踏入重生的旅程。

從此以後，我慢了下來，不再夸父追日般，汲汲營營；不再薛佛西斯般，來來回回，推著宿命巨石，享受平實生活。通透理解了「動態閱讀」的核心概念，獲得三字心法，以更全觀的視野，思考生活現實，看待世界，叩問人生，探究生命。

然後，讓平日閱讀、創作歷程和生活點滴，回饋到當下的自我生命裏；回饋到陪伴老母的臨終歷程裡；回饋到我剛入家門，向婆婆請安時，她情緒異常激動，近乎歇斯底里，緊握著我的手腕說：「我就要走了。」時，還能冷靜地回答：「妳準備好了嗎？」……在那極端意外，料想不到的當下，還能跳脫親情的羈絆，不害怕死亡，不逃避恐懼的囂張，而有了終極關懷的真實對話，讓老爸老媽，在老淚縱橫中，有了深情的擁抱和真實的訣別，讓母子有了一甲子以來，不曾有過的真正擁抱，愛的傳達。然後，一年多以後，婆婆以九十二高齡，壽終正寢，安然離世。

文學的生命雕塑

十多年來持續投入多元文化研究，吟唱生命如流水的閱讀主旋律，書寫人生是一場夢的創作本質。同時，在這段旅程中，發現了一股綿綿延延，無名卻恆存的召喚。

這股召喚，不論以國際文教參訪的名義，遠到印度、芬蘭、荷蘭、美國、史瓦帝尼等國進行交流，或者，單純的，到越南、泰國、馬來西亞、日本或非洲旅遊時，都曾經以著某種莫名的水土不服、文化衝擊，持續折騰著旅行中的肉身，打磨著跨越時空中的靈魂，或以著敏感體質，平凡中的神奇事，提醒著我，還有一件重要的事，有待完成。

這件事，打從二〇一〇年初，創作《青甲客奇幻之旅》時，清晰地，有了沒能說清楚、講明白的牽掛，有了一種已經啟程，卻是回家路漫漫的直覺。然而，接下來，會是一個什麼樣的創作旅程呢？

故事點子，像一顆顆小發光體，隨意蹦跳，卻撐不起故事大格局。

二〇一一年參訪美國時，在好萊塢造夢世界，《侏儸紀公園》製片場，大暴龍的肚腹時空中，旅人乘坐時空梭的最初概念，飆逝而過，才有了故事主軸的架構發展，進而創作了噗突抱竹鎮的空靈想像世界，並且，在多元文化比較中，編織了科技新知與人文傳統的對話，在穿梭現實生活與虛擬世界中，不斷逼視生活社會現象，詰問生命真實，辯證宇宙真相，去呈現真實社會中，更具存在實質的「實有」，傳達生命的真實。

投入長篇小說的創作，從來就不是一件容易的事。

然而，毫不間斷地，穿梭在閱讀工作坊、多元文化教育講座、社團服務，兼顧四代間多重家庭角色的扮演下，仍堅持不懈地，衷於初心，捍衛自我願力，埋頭書寫；忘了對不對、該不該、好不好、市場機制等物質世界的橫橫豎豎，框框架架，單純地，伏案書寫，好讓自己的身心靈，屹立不搖地，堅持在實踐自我思想的道路上，對我來說，是一件非常喜樂的事。

終於，在二〇一三年七月十八日，清晨夢醒未醒中，一個字一個字，從量子訊息場，迅速蹦跳入我的思維意識體，恩賜於我。

無就是我，我就是無；

一無是處，一無非處；

無一是處，無一非處，
是無一處，處是一無，
處就是我，我就是無。

於是，故事就從當代青少年的生活場，著重於經驗性的知識與智慧，探向人類的無限潛能，完整了浩瀚的《無歧地》創意，建構出時空戰士，闖蕩異時空的高度幻想性故事，書寫出原先料想不到的趣味情節，還解構了二十多年來，自己全心投注的閱讀與語言，行走文學荒原。

感謝故事，感謝多元文化，感謝家人，感謝同行夥伴和自己。

荒原的生命禮物

一切，從虛空開始，無聲無語無形無影……
然後，意識波動，滴滴答答……
滴滴答答，連續不斷……
有了編織故事的意念。
八年來，編織一個故事，只為了解構故事；解構故事，只為了再說，再寫，再結構一個故事，直到故事以嶄新的超越性身影，活了起來，說出了一眨眼的生活哲學，叩問真實。

終於，在剎那剎那的轉瞬間，關於你，我，親情，友誼，夢想，記憶，愛，死亡，語言，文化，時間，神話，宇宙虛無……一一來到生活中，雕塑著剎那間的生命故事，成了《無歧地》、《忽巄島》、《異星棧》三部曲；終於，來自荒原的《無歧行》誕生於世，成為一份珍貴的生命禮物，呈獻給無限潛能的你，也呈獻給衷於初心的自己。

一路走來，感謝創作坊的年輕心靈，有了「看見小王子」的肯定；熱血的衝撞，賜福我勇氣，啟動編輯出版的冒險旅程。感謝黃海老師、杜明城教授和李明珊老師的行文推薦，彰顯小說內容的鏗鏘質地。感謝享譽國際、臺灣書畫女靈郭香玲大師，揮毫書名，贈墨寶，讓封面文采清輝映。感謝動態閱讀編輯群、惠雅、宗翰、夢想基金會和家人的有力支持，讓《無歧行》匯集了諸多精純美好的動能。還有，人藝的專業設計團隊，讓三部曲添增了非凡樣貌，溫潤了禮物質地。

感謝一切，感謝未來。

林秀兒 敬致二〇一七．十二．二十一

目錄
Contents

01 密令

「無論如何，她就理所當然，肆無忌憚，在午夜時分的弔詭奇異時間點，拿起手機，使喚好友，連線視訊。她就無知無覺，依仗密令，把自己嵌在無法無天，無人無地，不被界定的存在狀態下，叩機喚人。」

2017.10.16

夜已深。

月光，在噗突抱竹鎮，遍灑銀輝，賜福靜謐臥躺的野地。

然後，絲絲游離。

游離的月光，悄悄地，乘著晚風巡邏；穿梭，夜空中；遛噠，樹枝間；彈跳，葉片間；流連，野地上。

它，穿上過大的燕尾服，在草地上，大跳華爾滋，留下一幢幢，似有若無的黑影子，拖著奇妙的長尾巴，鑽進花叢裡，裁剪出大大小小的薄片影，帶著不安的、渴望的生氣，蟄伏在野地的夜色中，蠢蠢欲動。

蠢蠢欲動的，還有竹節蟲。

牠寄宿在矮樹叢下，睜大眼睛，默默地，量一量，銀灰暗影在晚風中的大小，掂一掂，自身功力有多少。然後，在銀灰暗影的掩飾下，如風中樹枝般搖晃，擬態成鬼魅，害羞地，緩緩移動；無聲無息地，潛入夜的宴席。

沒想到，剛出家門，根本，還來不及，覷一眼月光下的自我身影，瞬間，就落入黑蜘蛛精心設下的天羅地網。

「啊，糟了！」

牠驚心動魄地呼叫聲，徬徨的，飄浮在暗夜中，如游絲，如鬼魅。

可是，微弱的聲波，飽藏著生離死別的剎那抉擇和拉扯力道；極微聲音的粒子波動，如薄紙翼，像金鋼刃，無比犀利，劃破了柔順如絲的夜晚。

牠拚了命，抽手踢足，蜷曲扭動，沒命似地，掙扎又掙扎，意圖移動竹節般的身軀，竄逃出黑蜘蛛的死亡陷阱。

無奈，一切枉然。

可不！

牠拚了命的企圖逃竄，擾動了安詳靜謐的時空。

夜，被驚擾了。

剎時，噗突抱竹鎮的夜空，洶湧著急急切切的意念波潮，流竄著紛紛亂亂抵死的恐慌和澈底絕望的深層恐懼。

剎時，不知名的昆蟲，此一聲，彼一聲，聲嘶力竭，叫個不停。

宇宙的命運之輪，轉動了。

夜，在月光下，顛晃不已！

這到底是鼓譟著危機四伏，叫囂著夜的蠢蠢欲動？

還是，奮力張揚，自我個體的存在，呼喚著，幽冥的生命狀態？

還是，拚了命似地，釋放著，夏夜裡的焦躁渴望，傳達著，難耐的賀爾蒙衝動？

稚盈根本聽不到。

她根本不知道，甚至，也根本不想知道。

就在這時，她的腦海裡，沒有月光，沒有野地，沒有竹節蟲，沒有蜘蛛，沒有聲嘶力竭的蟲叫聲。

她在一個封閉的時空裡，在高度的近視眼鏡後面，拚了命，張著微禿的眼球，盯看著一堆小小東西，忙得不可開交，還焦躁的翻了又翻書頁，嘮嘮叨叨著。

「怎麼還這麼多？」

「還這麼多？」

她聚了焦，停駐在狹隘的視域裏，像糞金龜般的推滾著課業渾球，糾葛在一堆她以為理所當然，正經八百，光鮮亮麗的小小東西裏。

事實上，那些東西，也儘是些芝麻綠豆，狗屁倒灶的事而已！

就在這時，她的腦海裡，有的盡是些亂七八糟的鬼影子，喋喋不休的爭吵，鬧哄哄的碎語，像是：

「死背，也要背起來。」

「知道啦！」

「囉嗦！」

「哼，我就知道，妳打著瞌睡，等著哩！」

「哎，還有溫書假可磨咧！」

＊＊＊＊

路燈投射出昏黃微光，晃亮了夜晚的路徑，晃暗了樹籬、桂樹、九重葛和那些排排站的洋紫荊，在夜風中成了飄移的鬼影子，開起陰魅派對。

微光，乘著夜風搖擺，把樹影抹成怪異張揚的巨大貓爪，在路徑上擺出嗆人的崗哨，掃描暗夜的動靜。

夜風，揚翻起銀灰窗簾，趁機溜進屋裏，輕拂了低垂的眼皮，驚擾了書桌前的稚盈。她放下註記重點的螢光筆，伸個懶腰，打個大大的呵欠後，拿起手機，瞄了一眼，時間正是11：24，午夜時分。

然後，她一點也沒多想，就在這濃夜將盡新日將生白天與黑夜生與死開始與結束迎接與送別陰與陽等沒完沒了不斷運行的弔詭奇異時間點，叩機喚人，連線視訊。

因為，密令已下達。

任何說法，只能依著密令而來；任何做法，只能照著密令而去。

一切就這樣，不能更改，不會變通。

至於，在這個時刻叩人，行嗎？

會不會太失禮？

甭想。

甚至，對她來說，根本想不到，也沒必要。對她來說，多想了這事兒，是多餘，是纍贅，是做作，是令人窒息的遺風，是該杜絕的惡習。

她，根本不屑那些個假面具。

而且，冥冥中，她以為自己拚過了課業大戰，盡了該盡的義務，無論如何，對自己，對爸媽，對課本，對成績單，對誰，都交代的過去啦！

事實上，她已經漂浮在意識海，沉潛到該死的文字符碼堆裡，被文字肉身所簽署下來的死亡契約，綁架了大半夜的青春時光啦！

她以為自己該擁有這樣的時間，才不會白活，才是活著。

真正地，活著。

可青春韶光，該如何安排，如何安頓，才算是值得呢？

或許，她大可熄燈，然後，隨著濃夜的銀光，緩緩的從熟知的一切，退隱而去，好讓全身億億萬萬個細胞，擺平在承載肉體的好眠床上，如死去般，歇息。

然後，進入最深沈的夢境，遊蕩；進入那個比想像大得多的夢境，狂歡。

當然，她大可乘著沉重的物質肉體如死去般的歇息時，點燃一枚鬼魅般的蕊心，讓若有似無的藍火青苗，招迎黑魅影，伸展一下沉重的四首八足，攀爬在不明時空，遊蕩在幽冥境域，好讓幾乎凝滯的暗黑時空，隱隱流動。

無論如何，此時此刻，是點燈的絕好時機；點一枚熒光魅火，喚醒鬼影的好時光。

老實說，這也是她常幹的好事。

只是，她根本不知道，自己幹過這種蠢事。

或者，她大可乘著新日的金輝，吆喝好友們，自我放逐而去，闖一闖，未知國度，來一場冒險旅程。她大可把自己丟進浩瀚宇宙，看一看，到底是處在何種時空，探一探，自我的幽冥境域。

然後，從最深沈的夢境醒來，看著自己的夢境。

嗯，那可算是捻燃心燈吧！

那麼，此時此刻，她到底該做什麼呢？

甭想。

因為，密令已下達。

無知無覺地，稚盈早已接收密令了。然後，有意識地，告訴自己：「行，什麼都行；怎麼做，都可以。」

「做吧！」

可說到底，誰下了密令？

她不知道。

密令從何而來？

無從知曉。

甚至，她根本不知道密令的存在，更別提密令對她的作用力啦！

無論如何，她就理所當然，肆無忌憚，在午夜時分的弔詭奇異時間點，拿起手機，使喚好友，連線視訊。她就無知無覺，依仗密令，把自己嵌在無法無天，無人無地，不被界定的存在狀態下，叩機喚人。

她就是有十足的篤定需求，要做這件事，有絕對高昂的激情，要做這件事。

****

稚盈絲毫不在意密令的存在，沒在管；也無從在意，無法管。

她真正在意的是，手機視訊的連線，能突破課業壓力，滿足虛擬社交的欲求，逃脫夜晚的羈留，顛倒那些隱隱操弄自己的金木水火土，頂撞那些自己尚且無法掌控的五行定數，更是渴盼在這個弔詭奇異時間點，能在好友的陪伴下，改寫騷動不止的隱憂，提供莫名其妙的療傷止痛，覓得若有似無的心靈撫慰。

於是，連上視訊，她就理所當然地，省去多餘的招呼，隨性地，帶著打盹意謂的模糊聲波，心急地，敲開話匣子。

「準備的怎樣了？」

「瘋啦！」阿光猛力回嗆：「妳到底無不無聊，開口閉口，竟是這種鳥事！」

剎時，她狗急跳牆般，拋擲出高浪頭，生猛活跳跳地，質問著：「哪種鳥事？我又還沒說什麼！」

「沒說什麼？」阿光不輕易罷休，「明明就是鴨子嘴硬。」

「哼，我沒說什麼呀！」她明擺著死不認帳的氣勢。

「妳說的要不是考試，還會是什麼？」阿光不屑的口吻中，藏有挑釁的興味。

「要不然，你在說啥？」以行的好口氣，順了聊天的話流，也為好友們打圓場。

「好啦，囉哩巴唆！」稚盈埋上輕飄的怨氣，轉了口，端出靦腆的怒氣。

「難道，你就不囉哩巴唆？」阿光從不輕饒鬥嘴良機。

「好啦，討厭！」稚盈認了帳，耍了賴，還有，朦朦朧朧，若有似無的曖昧。

中。

終於，阿光饒了人，閉上嘴，瞬間，還流連在曖昧的揣度和臆想的些許歡欣

然而，密令早已下達。

在密令的無形淫威下，稚盈只能執行；無聊話兒，又趁機脫口而出。

「到底準備的怎樣了？」

哎，真是好一個，行，什麼都行！

在黑密令的監督掌控下，她根本掙不開大考的緝拿，脫不了大考的拘提；根本就像眼高手低的空心稻草人，騙騙自己，騙他人而已！

以行像木頭人般，斜癱在躺椅上，拿著筆桿機械似地敲著桌沿，沒啥興致的應著，「就這樣啊！糊成一片。」

「聊點別的，行嗎？」阿光少了火氣，多了哀求意。因為，他已憋了一整晚，沒人噓寒問暖，也沒能打屁聊天，硬挨硬熬，才熬到這個弔詭奇異時間點，盼到了從來未曾明言，未曾明說的例行視訊啊！

他一逮到機會，就毫不客氣地，大吐胸中鬱氣，就像開閘的水庫，劈哩嘩啦，傾瀉而出：「你又不是不知道，我們沒有你的好記憶，輕輕鬆鬆地，瞄一瞄，隨

隨便便地，看一看，就能記得清清楚楚，條理分明。而且，現在是子時，是午夜，不是排排坐在課堂裡，你啊，真是無聊透頂，盡說這些無聊事！」

「說得簡單喔！你可知道我費了多少勁兒，才有這麼一點點的記憶力。」

「是呀，真不知道，你幹嘛跟自己過意不去，要如此的折磨自己；何苦花那麼多力氣，打磨記憶力。」

「你呀，大可不必這樣呀！」

阿光和以行，聯手出擊，話鋒不算犀利，卻迸出日積月累的共識，趁機損人，趁勢刮人。

稚盈莫可奈何。

「我就是想要啊！」

以行一聽，聳肩揚眉地，覷了稚盈一眼。

她無比洩氣。

「這樣，我才能安心。」

「安心？」

「凶巴巴的，誰能讓妳不安？啥事讓妳不爽？」阿光乘勝追擊，連番逼問。

「是啊，這麼優的成績，還怕什麼？」以行百般不解中，還摻雜著些許羨慕。

可稚盈眼神落寞，搖了搖頭，什麼話也沒說。

阿光見狀，敏感地，癟起嘴巴。

以行站了起來，踱起方步；腦神經不由自主地，迅速傳導，認真地，想方設法起來。

因為，密令已下。

他，只能執行；就算是沒話可說，也得要瞎攪和，找話說；就算是被煩到了，也得像上緊發條的玩具狗，兜著圈，團團轉；就算是不知所以然，也得擺個樣子，晃個虛招，好接住突如其來的詭異變化球，扭轉剎那幻現的煩悶視訊時空。

於是，他出招賣衰，大吐苦水。

「每次想要牢記那些死也不能更改的係數啊，歷史年代啊，化學元素表啊，對我來說，就是活受罪，苦不堪言。」

「就是呀，什麼Sin、Cos，對我來說，都是屎啦！」阿光腦殘似的隨即跟上，屁話連環爆。

「哎，偏偏這種屎啊，能換成亮閃閃的光環，鋪設未來，那才真是煩咧？」

「說的也是，放假就放假，幹麼硬卡個大考，讓人提著心，吊著膽，放不下，也玩不了。」

難兄難弟，義氣相挺，合作無間，終於，轉化了視訊時空。

終於，稚盈又來勁了。

「好啦，甭提就甭提，別再抱怨連連，說個不停。對啦，以行，你還跟陳爸爸躲貓貓嗎？」

「躲啊！要不然還能怎樣。任誰，也不會想要被那些硬底子功夫，給綁架去吧！」以行可憐兮兮地，嘆了一口長長的氣，「哎——，今年暑假，要是再栽到那種學究營隊裡，準會要了我的命。」

「沒天理，真是亂沒天理。」突如其來的，阿光扮起被掐脖子，吐長舌頭的鬼樣子。

「什麼意思？」

「你想想看，我呢，怎麼哈也哈不到這種既炫又酷的新奇營隊，你竟然還要躲，還要閃？這不是亂沒天理，是什麼呢？你啊，瞎貓碰上死耗子，好運當頭，人在福中不知福。你啊，可別太過份，要不然就太沒天理啦！」

阿光忿忿不平，嘰哩呱啦一長串，壓根兒，是自艾自憐，波動著一股哀怨的酸氣。

「真是的，什麼瞎貓碰上死耗子，說歪啦！人家是父和子，血濃於水的命定，好嗎？」稚盈白了阿光一眼，又說：「以行，可別在意啊！」

「就這樣啊！」

阿光吞了吞口水，緩了一緩，難得正經的說：「對不起啦，以行。那種東西，有時還不錯啦！」

就在這時，室內皮拖，悶悶的噗—噗—噗—，趴落在硬實羅馬磁磚上，由下而上，一步一步，傳了過來。

稚盈的敏感神經，被撩了一下，閃了個神。

她不自覺地，腦袋空白片刻，眉心微蹙，張開嘴巴，忘了剛要溜出口的話，然後，小心翼翼地，聆聽起悶悶的疲憊腳步聲，啪—啪—啪—，一步一步，由遠而近，來了。

叩叩，輕巧的敲門聲，在稚盈身後響起。

她把整個身體，癱靠在椅背上，遲疑地，咬了咬下唇，緩緩地，吁了一口若有似無的晦氣後，才移動了竹竿似的身軀，空晃晃地，撐著一件超大熊貓棉T恤，一副沒勁兒樣，起身應門去。

「吃點宵夜吧！」

她看了一眼，圓木荷葉邊小托盤，心想著：「催我上床吧！」

無論如何，稚盈伸手拿起紅蘋果，說了聲：「謝謝！」

「那——，要早點休息喔！」

「嗯，晚安。」

「晚安！」

*****

稚盈返身，扣上房門，喀——，大口咬下紅蘋果，理所當然地，享受了一聲清脆和清甜果香。

一絲愉悅，飄盪在房間裡。

「不錯喲！又有好東西啦！」阿光羨慕地說著。

唰——，飄盪的愉悅，隨即消失。

稚盈的心頭，亂沒來由地，立刻蒙上一層不清不楚的濃霧，毫無預期的，凝聚成某種憂傷，蓋住漸離漸遠的腳步聲，所彌留下來的輕鬆自在，掠奪了紅蘋果的香脆清甜，偷襲了好友們哈啦打屁的樂趣。

剎時，莫名其妙地，一切走了樣，變了調，耗了勁，失了力。

她感覺灰濛濛，疲憊不堪，吃起又脆又甜的紅蘋果，直像在嚼蠟，索然無味。她聳了聳肩膀，順手放下紅蘋果，不吃了。

「怎麼啦，我又說錯話？」阿光問以行。

以行無奈地翻了一下眼白，冷冷地應著：「沒你的事。」

說真的，這不是阿光的錯，不是阿姨的錯，也不是以行的錯，可是，不論是稚盈、阿光和以行，甚至，連屋子、手機、筆電和整個虛空，都像似唰——剎時，被蒙上一層濃霧般，朦朧了起來。

時空變了。

三人頓失打屁聊天的興致，虛耗著。

「哎，衰事又來了。」

「明明好端端地，一下子，就變了樣。」

「不舒服嗎？」

稚盈不說，以行和阿光無從知道。

而且，這種事一發生，稚盈就突如其來的落得全身無勁，全身乏力。

她，討厭這樣的自己。

可她並不是生氣，也不是耍酷，更不是要捉弄好友……，而且，老實說來，她還想在這黑夜裡，多掙一些好友相伴，聊天打屁的好時光；她向來就是如此。

她，對這樣的自己，一點辦法也沒有。

萬般無奈啊！

尤其，當她聽到閒言閒語時，挫折、茫然、歉意、怨恨和無力感，更是連番襲擊而來。

至於，阿光呢？

他止不住腦海裡的碎語。

「哼，了不起喔！」

「翻臉就像在翻書，真是有本事。」

「真不知哪兒得罪她啦！」

他，向來就是如此。

然而，朋友就是朋友，久而久之，還能形成一套你來我往的互動潛規則，還能八九不離十的知曉，接下來將會是什麼？

而且，毫無意外的，就發生了，預料中會發生的事。

無力地，稚盈吞吐出一串，輕飄飄，藏著魅影的聲波，乘著無垠無際的網際網路，傳達出來。

「睏了！明早八點，圖書館見。」

魅影聲波，穿牆破壁，還攀過了山，越過了嶺，穿梭天外天，仍虛幻無力的波動著，不容置疑的蠻橫，沒有商量餘地的霸道。

「可以啊！」以行沒有多說話，退下了。

可阿光關上視訊，被耍到的不滿情緒，無法止息的，波動了起來；自我拉拉扯扯，碎碎念個不停：「你說了算。」

「明明是你先叩人，卻沒來由的，又耍這一遭。」

「哎，算了，我啊，總會碰上這種衰事。」

「要不然，還能怎樣？我還能怎樣！」

「算了吧！」

****

頹然地，稚盈坐落床沿，狠狠的把自己丟向眠床，不為什麼，就直直瞪著從天花板拉下的一條粗黑電纜線，高高低低，連接起三只戴著透光燈罩的燈泡，仰望著帶點冷嘲熱諷的白花花天花板。

這時，有可能是燈光的投射，她看啊看，就看出許許多多的變化來了。

一下子，是白雲朵，再看是一群綿羊，要不就是在極地緩緩移動的北極熊，可越看越不像後，又發現有個小女孩拖拉著一隻瘦獮猴，可認真的逼視後，那兒不正是有一顆頂著大白花椰的人頭。

無奈地，她用力眨了眨乾澀的雙眼，用極細微的聲音，直注耳朵，擔心被房間聽到似的說著，「真要命！」

可這還不能確定，因為天花板上的影子，還在瞬息萬變中。

於是，她不相信起自己那一雙酸澀的眼睛。

真的無從相信啊！

她閉上眼睛，注意聆聽，卻什麼也聽不到；於是，又凝神注視起自己，可萬萬沒想到，竟然連自己也一直在變，變得一切假假的，變得跳離了自己所熟識的自己，閃現出莫名暗晦的東西來了。而且，還神遣鬼差似的，又看到一團白花花的東西，在眼前晃悠。

古怪的事，無論她怎麼看？怎麼用力想？怎麼用心審視，它，就是那樣子。

一團白花花。

白花花的，沒有其他細節，頂多有條不明顯的界線，圈出了像似棉花糖的樣子，沒有其他細節。

它，就存在腦海裡，像似一處久被遺忘，沒人造訪的荒蕪廢墟；像似一顆硬梆梆的石頭，被永不褪色的壓克力顏料，來來回回塗抹過無數次，刷白了。

它，卑屈卻頑強的存在著；存在著，要被記起來。

那種死硬的存在感，一點也不甜美，讓稚盈有一種巨大、空白的虛無感，讓她失了力氣，卻又記不起來，它是什麼。

不過，她深信只要有超強的記憶力，就會記起來。

她就是有莫名的激情，要記起它來。

02

噗突抱竹圖書館

她東想西想，一下子，是聳立深山的千年神木；一下子，是狂風暴雨裡的腰折樹木；一下子，是電鋸下的粗樹幹；一下子，是車床裡的乾木片；一下子，又是眼前噗突抱竹圖書館，大門廊亭上的門板；讓她有了一種難以接受的困惑，歪著頭，暗問自己：「難道，就沒個定數，沒個永遠？」

一大早，稚盈神清氣爽地，來到噗突抱竹圖書館。可圖書館，還在休息中，大木門還關著哩！她溜溜眼珠，沒事找事忙，東看看，西瞧瞧，無聊的等著。

突然，在安靜的噗突抱竹圖書館附近，傳來非常奇特的聲音，說著再日常不過的打招呼。

「早啊！」

「你好！」

「來啦！」

簡簡單單的招呼聲，本來是平凡無奇的如常事，沒什麼特別，不值得大驚小怪。可是，那聲音，立體、飽滿、鮮活、脫跳，聽起來就像是活生生的話語，就像是話語本該有的樣子，引來稚盈一陣驚心，急忙望向聲音的來處。

「啊?!」

銀髮老嫗，在攝氏四十來度的大熱天裡，披披掛掛著好多條色彩斑爛的寬幅亞麻長圍巾，還在脖頸間，纏纏繞繞三兩圈，向著噗突抱竹圖書館，一路閒步行來。

「我的天啊，不熱嗎？」

稚盈目不轉睛的，望著銀髮老嫗，不失優雅的，向著自己走來；直覺那一身繁複裝扮，是多餘，卻又必要的存在樣；是頹廢，卻又華麗的怪異樣；然後，不自覺的，搖了搖頭。

銀髮老嫗不管認識，不認識，不管錯身而過，還是，迎面而來的人，都會打個招呼，問個好。甚至，還彎下腰來，為快步追逐而到，緩步伴行十來步的小黑狗，搔了搔癢。

簡簡單單的招呼聲，竟然存有奇異的聲波力道，奪去了稚盈的心神，攫住了她的眼識，直直地，盯視著光滑沒有一絲皺紋的臉，似乎滲出細緻的智慧光芒。

突然，她的心裡「噹」地響了一下，好像有扇門，打了開來。

模模糊糊地，她感覺到，在這樣的一個早晨，在這樣的一個地方，銀髮老媪的奇異聲波，已發動了一件事情。而且，乘著聲波力道的漣漪效應，凡是聽到聲音者，也在當下啟動了一段思維旅程。

「誰啊？」

「新搬來的住戶？」

稚盈暗暗思量，十七年來，自己在這個不大也不小的噗突抱竹鎮，四處闖蕩，雖然沒變成女野霸，可也踏遍了鎮上每一寸黃泥地，明查暗訪了科博館、紅樓區、空影城、未來坵、石碑林、松柏灘、夢想屯，獮猴林和水源保護區，可就從來不曾遇見過她呀！

她走到老榕樹下，仰頭看了看，微微一笑，然後，安坐在樹下的石椅上。這時，隨興擱置的大拼布包，由內堆擠出《東方藝術史》和只露出一斜角的厚書來。

突然，一陣奇異的鳥鳴啼叫聲，八方乍響，根本像似在普天歡慶，根本像似在通風報信，在傳令。她卻無事人般，衝著稚盈，微微一笑，像似能讀出稚盈的好奇和疑惑。

稚盈不得不，也回給了她，一個蠢蠢的傻笑。

這時，一群麻雀從老榕樹上，飛了下來，集體洗了泥沙浴後，又在地上跳呀跳，吱吱叫。

這事兒，本來就沒什麼特別啦！

不過，沒多久，跳呀跳的麻雀群，卻擺出陣勢，一齊飛到銀髮老嫗面前，低低盤旋、聲聲鳴唱，還同時定在空中，蓬鬆全身羽毛，對著她撲撲拍翅，鼓動了周遭的空氣，帶出某種神祕氣氛。

稚盈不知不覺地，自言自語著：「我在作夢嗎？」

她目瞪口呆，只能看著。

「嗯，謝謝！」銀髮老嫗帶著滿臉笑意，祥和的對著麻雀說話。

稚盈萬般好奇，直盯老嫗，自言自語著，「不會吧！還跟鳥兒打交道，有沒有問題啊！」她的呢喃聲，只是說給自己聽，沒有多餘的意思。

然後，止不住好奇，又問：「她是誰啊？」

可是，就在她的話聲中，銀髮老嫗，竟那麼碰巧的，又迎上了稚盈的眼神，還讀出她的好奇心似的，回給了她，滿眼笑意；對著她，點了點頭，活像似回應著她的問題哩！

「啊！」

稚盈暗叫不妙，剎時，升起一種偷窺的歉意，被抓包的尷尬。好丟臉喔！

然後，她連想也沒想，即刻移開視線，假裝沒看見。可是，耳根子卻整個燥熱起來。這下子，她又不好意思，掉頭就走。因為，那會太唐突，太不自然了。只好，牢牢的釘住雙腳，僵在原地，一動也沒動。

可她止不住好奇心的驅使，僵在原地，野放心猿意馬，想東想西。而銀髮老嫗，一副什麼事都沒看見，什麼事都沒發生，什麼事都可以的樣子，安坐石椅上。

這一秒鐘，看來真的沒什麼事；什麼事，都沒發生。

可下一秒鐘，一身富麗華貴的藍雀，憑空出現了！

它昂著烏亮鳥頭，嵌著紅色寶石般的鳥喙，大肆張合，鳴唱著；收攏有力的紅爪子，緊貼羽衣，舞動雙翅，高高揚起華麗的超長尾翅，在銀髮老嫗前，轉起旋子，舞動著絢爛羽衣，令人目眩神迷。

「哇——」

「這附近，不曾見過藍雀啊！」

「她是誰？」不自覺地，稚盈又唐突地，出聲問道。然後，立刻舉起手來，蓋住因為驚訝而大張的嘴巴，暗想著：「藍雀怎麼會突然出現在這兒？

「難道，它衝破了平行時空？」

藍雀落地，唰——

全力開展了華麗長尾羽，踩踏著步子，繞起旋子，跳起繁瑣細膩的舞步來了。

銀髮老嫗神秘的莞爾微笑。

「這是什麼？」

「她是何方神聖？」

稚盈忍不住，自我探問，同時，感到一種親切的連結，還有，某種意味的陌生感，像似在夢境中。

更絕妙的是，在藍雀的華麗舞蹈表演中，一群鴿子，飛來了。

燕子，飛來了。

杜鵑，飛來了。

鳥兒成雙成對、三五成群，飛來了。

大冠鳩，一圈圈盤旋著，一聲聲鳴叫著，飛來了。

還有，還有，長尾水雉、白眉鶲、翠鳥、紅鳩、燕鷗、藍腹鷴……，都飛來了。

所有的鳥兒，似乎受到某種無形的呼喚，無形的感召，不約而同地，飛來這兒，在這兒碰頭，環繞著藍雀的瑰麗華美舞蹈，盤旋在低空中，共同完成神聖的儀式。

「怪了！真是太怪了。」

「這些鳥兒，打從哪兒來？」

「它們為何而來？」

「這些鳥兒在尬舞？」

「還是，在玩閃飛會串遊戲？」

「還是，在傳達一種神祕的訊息？」

稚盈納悶不已。

然而，來自四面八方的鳥兒們，絡繹不絕，飛到了老嫗面前，低低盤旋，鳴唱著；在稚盈和老嫗的奇異時空裡，低低盤旋，舞蹈著。

這絕不是在煩俗課業的追逐中，會發生的事。

唯有此時此刻，稚盈早早來到噗突抱竹圖書館，無所事事時，才會有的奇遇；沒錯，就是在無所事事的空檔裡，才能不期然的，擁抱了這樣的寧靜片刻，而有了不期而遇的驚異事件。

但是，她還不知道，這是什麼事，有什麼重要性。

她還沒能意會到什麼，只是，看著一大群鳥兒，在銀髮老嫗的環視中飛翔，舞動，嘖嘖稱奇著：「真神奇。」

「太棒了！」

「她到底是誰？」

稚盈看啊看，不禁一無所知地，咕噥探問，這個獨一無二的奇異現象。

突然，她靈光一現，雙掌輕擊，驚呼而出：「百鳥朝鳳。」然後，雙臂像鳥兒展翅揚飛，嘴角輕揚，噗嗤一聲，隨即在胸前劃了一個大圓後，自言自語，讚嘆著：「難得一見的千古盛事啊！」

剎時，她有意識地，契入一種神妙時空，擁有一種獨特的寧靜感，聆聽著有如天樂般的鳥語鳴唱，觀賞著五彩繽紛的鳥兒大會舞，卻又如真如幻，有一種千年之約的遇見。

可是，要不了多久，就有一群輕狂少年郎，大聲戲鬧、追逐而來，驚動了鳥群。剎時，有那麼一秒鐘，鳥群被驚嚇的愣在空中，一動也不動，然後，下一秒鐘，被驚慌的四處紛飛。

一哄而散。

而不知天高地厚的少年郎，擾了稚盈的神妙時空，壞了千古盛事後，還目中無人般的追逐，然後，杵立在噗突抱竹圖書館的大門廊亭前，繼續聒噪不休；還每隔個幾分鐘，就爆出一陣大笑聲。

稚盈不禁有了嫌惡感。

但是，她忍著沒說出什麼話，或做出什麼惹人厭的干涉。因為，她知道，有些時候，只要人對了，心情對了，就有可能，目中無人的爆出笑點很低的爆笑聲，做出類似目中無人的囂張行徑。在這種狀態下，要是有誰雞婆，說了那麼一點不輕不重的話，或做了那麼一點沒啥事的事，是挺掃興，挺令人厭惡。

她不想成為這樣的人。

然後，她的心神，又被紅磚道上沉重的啪——吖——啪——吖——腳步聲，給拉了過去。

一個大男孩，穿著皺垮褲，臭臉上掛著一副誰也不理的鳥樣，兀自拖拉著夾腳拖，磨擦出陣陣的刺耳聲。那聲音，像極長長的鐵鍊條，拖曳在紅磚道上，無奈地向著圖書館的大門廊亭，走了過來。

*****

噗突抱竹圖書館的大門廊亭，用樹皮當屋頂。厚重的大木門，是將乾黃老竹，對半劈開，然後，框住粗樹幹的切片，簡單組合成為大木門。門板上，一圈又一圈迴繞的密實年輪，訴說著時間的久遠和古意。

稚盈看著木頭切片，上頭有圈圈繞繞，數也數不清的密實年輪，不禁暗自推敲了起來。

「它，曾經處在杳無人跡，無人聞問的深山裡，看過多少片風雲變色的天空，抵擋過多少回狂風暴雨，煎熬過多少個嚴寒酷暑，才能迴繞環旋出這樣的年輪，活出這樣的生命跡痕？」

「它曾孤單無助嗎？」

「門板上，那一方自然天成的窗口，是不是後來神木腐朽的缺口呢？」

「它會不會抱怨，沒了樹幹，沒了根腳，沒了綠葉，還被鋸成薄片，站成門板，哪兒也去不了？」

她東想西想，一下子，是聳立深山的千年神木；一下子，是狂風暴雨裡的腰折樹木；一下子，是電鋸下的粗樹幹；一下子，是車床裡的乾木片；一下子，又是眼前噗突抱竹圖書館，大門廊亭上的門板；讓她有了一種難以接受的困惑，歪著頭，暗問自己：「難道，就沒個定數，沒個永遠？」

「怎麼一切看起來都假假的？」

可她又覺得自己荒謬，便使勁地，搖了搖頭，就像這麼做了，就可以把惱人的想法，丟得遠遠的，跟自己毫無瓜葛，毫無關係。不遠處，隨風搖曳的竹林欉，不時傳送出咿咿呀呀聲，然後，她不禁遙想起竹林賢人來了。

稚盈在有的沒的遐思中，大木門終於開啟了。

圖書館員，穿著彩繪竹子的唐裝服飾，笑容可掬地，迎接早到的人們，進到噗突抱竹圖書館。

一入館內，稚盈落坐在橫躺的竹子階梯上，雙眼左右逡巡一番，心中嘀咕著：「明明說好八點鐘，怎麼還沒來！」

然後，她翻閱筆記，低著頭，讀了起來。

可沒一會兒，她又溜起眼珠，東張西望，環視著由大大小小的綠竹圓柱，搭造起來的噗突抱竹圖書館，挺沒來由，萬般唐突，嘆了一口氣，「哎——竹子本無心，偏偏又橫生枝節。」

原來，那一根根綠竹圓柱，是由一支支圓竹，並排圍圈，圈出了聊天坪、期刊室、文史館、故事屋、典藏室、書福亭、繪本丘……，一支支圓竹，高高低低，聳立在藍天黃地中，散開交錯，撐起高挑寬廣的噗突抱竹圖書館，形成會呼吸的綠建築。

她仰望著屋頂，揣想著這一支支竹子，為何這麼神奇的會聚成這麼美、這麼獨特的屋頂呢？

她看啊看，看得呆了，竟然不經意的找尋大蕈菇般的屋頂中，是否藏著小孢子？

突然，一陣嘰嘰喳喳的稚嫩笑聲，由遠而近，拉回了稚盈的視線。

原來，十來位穿著圍兜兜的幼童們，手牽著手，由兩位保育員，帶領著爬上橫竹階梯，正要前往故事屋聽故事，她不禁想起老愛在她身旁嘰嘰喳喳個不停的弟妹，嘴角微微上揚。

****

牆上的電子鐘，快耗盡電池似的越走越慢，朱媽媽早已出門運動去了。

刺眼的陽光，從百葉窗的縫隙，溜進屋裡，驚醒了做噩夢的阿光。他瞄了一眼鐘面，匆匆地，抹把臉，漱個口，然後，抓起背包，塞進手機，就出門了。

走到巷口，他停看聽了好一會兒，才下了決心，朝向點著三盞暗黃燈泡的老店鋪，走去。

老店鋪，曾經是阿光下課後，唯一歇息處。可是，已經有好長一陣子，他不曾前去光顧了！

他小跑步，橫過馬路，快快地，走向熱氣蒸騰的老店面。

蒸鍋的熱氣，撲面而來；鍋裡堆疊的小蒸籠，足足高過半個阿光的身高，散發出誘人的肉香氣。蒸鍋旁，打著赤膊的花甲老闆，在肩頸上搭著一條已濕透的毛巾，專注的低頭趕麵皮。

阿光的眼神，注視著有粗大指節的靈巧手指，隨興地，從旁撥來三兩球小麵糰，掌根隨即往其中一團小球壓下，烏亮的麵棍隨即跟上、擀開；三根手指頭，合作無間的輕輕一提麵皮兒，還臨空把那張薄皮兒，轉了半圈後，拋擲而下；然後，就待麵皮兒輕輕落下桌檯的那一個轉瞬間，麵桿子及時迎上，一推一擀後，完美無缺的薄皮兒，就輕巧巧的，叭答一聲，驚嚇了麵粉末，揚起一陣白煙似的，紛紛彈跳而起，然後，一顆顆麵粉末，又紛紛灑落在薄皮兒上，靜待另一雙巧手的指尖，輕輕一掂，翻掌扶正後，舀入一匙拌了青蔥、薑絲和香油的肉餡兒，再沿著薄皮兒邊，以順時鐘方向，邊折著皺褶，邊收攏開口處後，隨即一捏一握，就是一顆小籠包了。

這精巧的手工廚藝秀，曾在阿光無處可去的等待時光中，上演過不下千百次了。

他就愛這蒸騰的熱鬧，浸淫其間，讓活生生的熱氣、美食香氣、不時吆喝而出的喧囂人氣，逼退大把大把時光裡的擾人孤單，把弱小無力的自己，丟得遠遠的，忘得一乾二淨。

「鹹豆花配蔥燒餅，內用。」

「火腿起司蛋餅，一客。」

「蘿蔔絲餅三個，外帶。」

「鹹酥餅溫豆漿。」……

老闆娘紮了一條小花布，乾淨俐落，壓下隨興竄出的灰白銀絲，滿臉紅光，站在油亮烏黑的特大生鐵鍋旁，把蘿蔔糕和蛋餅，煎得滋滋嘎響，香氣撲鼻而來。

阿光的記憶思維，也鮮活過來。

「到底從什麼時候開始，老闆娘總會在自己的餐點中，多加了原本不該出現的好料，像一片滑溜的嫩黃起司，一座小山般的翠綠小黃瓜絲，或者，泛著油光的番茄片呢？」

「為什麼，那一陣子，自己走進店裡，就像回到了家，根本不必點餐，老闆娘就自個兒把餐點，送到角落的桌椅上，好讓自己消磨大半天，也不會擺出半點不好看的臉色。」

「為什麼，當店裡少了生面孔的閒暇時，老闆娘會來到身旁，在長椅條上擺平雙腳，說這說那，還拿孫子的大怪龍給自己玩呢？」

無論如何，這些摻雜童稚的無知記憶，讓阿光有了幸福感，微揚起嘴角，傻笑著。

他清楚地記得，身邊只要坐著擺平雙腳，說這說那的老闆娘，就特別的安心。等媽媽下班回家的時間，就過得特別快。

因此，一走入熱氣翻騰的老店面，他就打從心底，倍覺溫馨和親切。

「姨婆早！」

「早啊，阿光！難得放假日，怎麼不多睡一點，補補眠？」

「要期末考了。」

阿光仰頭，瀏覽著牆上那些排列整齊的字群，變得越來越長，複合花樣，變得越來越多，像極浮躁易動的青澀韶光，變得叫人揣揣不安，叫人不知如何是好，杵立在那兒，看過來，看過去，拿不定主意，搞不定早餐，猶豫不已！

姨婆終究問了，「想吃點別的，還是老樣子？」

阿光應聲，脫口而出：「老樣子。」

「好啊！」姨婆微微一笑，輕聲應著。然後，一手自顧自拿起小油罐，在特大生鐵鍋上繞一圈，一手仍俐落的翻煎著蘿蔔糕，沒有多理會阿光。

於是，阿光向前跨一大步，傾身抓起一套燒餅油條、一杯冰豆漿，就向著姨婆身旁的零錢缽，投入幾個叮噹響的硬幣，然後，轉身就要離去。

「等一下，阿光。」

「嗯。」

阿光迴轉身軀，見著姨婆迎面遞過來，撒滿芝麻粒的甜酥餅。他也就自自然地，伸手接住，道了謝，然後，邊走邊吃，快步趕路，前往噗突抱竹圖書館。

他嚼著燒餅油條，大口喝豆漿，抄過彎曲小徑，嘴角邊的芝麻屑兒，無聲的掉落在小徑上。還不時遙望，藍天綠林裡，從黃泥地，竄出的一朵朵綠竹大蕈菇，肖想著，哪天要去闖一闖動漫體驗室，翻一翻旅遊雜誌。

終於，在又直又寬的紅磚道上，追趕上還留有一臉睡相的以行。他看準了以行的右肩膀，猛力的拍擊下去。

「嘿！」

以行嚇了一跳，往前仆傾，彈回身體，迴轉頭來，對阿光掃了一眼，哼了一聲，就算是這對哥兒們，早晨見面的招呼啦！

然後，阿光勾上以行的肩膀，一起進入噗突抱竹圖書館，走向蕈菇欉，來到稚盈的面前。

「嗨，早！」

稚盈聞聲，將修長的食指，塞進筆記本當書籤，抬頭笑了笑。然後，起身拍了拍屁股，一起走入最大蕈菇柱裡。

那兒，就是噗突抱竹圖書館的主閱覽室了。

*****

「安靜。」閱覽室門口，立著斗大字牌。

阿光不自覺地，拖拖拉拉著腳步，不太想踏進需要安靜的空間裡。

至於，為什麼呢？

他壓根兒不曾想過，不曾問過，不曾知道啦！

只是，好朋友要來，就跟著來了。

而且，圖書館是大熱天裡，一個絕佳的去處，不是嗎？

老實說來，他沒有閱讀興趣，沒有真正意識到，在這安靜的空間裡，可以通過書本和資訊的任意門，走入世界；潛入億萬年洞窟，欣賞千萬年的壁畫，感受龍捲風的突襲，乘坐駱駝橫越沙漠，前往極地海與藍鯨共遊冰藍水，遨遊太空星際和外星人共事，窺覷奈米粒子的結構，遇見符號召喚出來的神魔鬼怪……他沒有閱讀激情，感受不到墨水心，還沒真正闖進圖書館的核心世界，還沒享受過圖書館的真正魔力啦！

他溜著眼珠子，看了看報紙閱覽區的沙發椅上，排排坐著許多長者，腦海閃現排排坐，吃果果的幼稚念頭，窺視起老花眼鏡後面的眼神；有的，瞇起老眼，認真搜尋國際要事；有的，認知評點政治口水；有的，眼露光芒，欣賞六塊肌、異地風光、體育特報或斗大字體的腥羶八卦新聞。

他看到皺皮爆筋的老手，微抖地，斜握著一疊厚日報，整個頭幾乎要栽入報紙堆裡，徒留光禿的後腦勺，閃閃發亮。

他對一個佝僂身軀，裸露著曾被日頭煎烤過的頸背，貪婪的多看了好幾眼，才邁開步子，跟上友伴，走向閱覽桌。

閱覽桌上的讀者們，有的翻著書頁，有的盯著筆電，專注閱讀的樣子，倒有幾分像是一面面毫無表情的墓碑。但定睛一看，學子們的眼皮上，隱隱約約趴著一隻隻瞌睡蟲，蠢蠢欲動。

「這麼多人，看來沒什麼好位子啦！」以行輕聲說著。

「咦，位子還多著哩！」阿光挑著眉說話。說話間，他的眼角餘光，瞥見一個遊民，身上披掛著骯髒家當，抬頭挺胸，走進廁所裡。

稚盈東看西瞧後，走向角落的空桌子，拉開椅子，壓低嗓子，說：「大家都來得好早。」稚盈隨即抽出當書籤用的修長食指，攤開筆記本，繼續剛才的閱讀。

「一早來吹冷氣，避暑啊！」阿光坐了下來，眼神毫無目地的梭巡了幾番輪回，才心不甘、情不願地打開背包，拿出教科書，為期末大考備戰。

以行一邊開機，一邊看向窗外。

他睜著仍帶睡意的眼神，穿梭在竹窗間，追逐著樹影裡跳躍的金黃朝陽，瞥到松鼠飛越樹枝的身影，妄想能在外頭閒蕩，不知該有多好。

他身吹著冷氣，眼盯著螢幕，耳聽著唏唆翻書聲和細碎敲鍵聲，越聽越昏沉。

零散細碎的敲鍵聲，有一搭沒一搭，此起彼落，雜揉著些許無奈；輕細的唏唆翻書聲，有一聲沒一聲，斷斷續續，無力的拖延著。

他就越聽越昏茫不靈，越來越無力無氣，奄奄一息啦！

03

號外彈的突襲

砰——

號外彈，爆炸了！

號外彈，在以行的心中，石破天驚的爆炸了！

他被超強的量能，襲擊了心神，撼動了身軀，灌頂腦門，全然的，醒了過來。

他完完全全，清醒過來。

「召喚，是召喚。」

以行盯著螢幕，呆滯地看了又看。

他盯著同一段落，看來看去，轉來轉去，酸了眼睛，糊了視線，卻讀不到文意，煩了心緒，感到萬般無聊又無趣。

這時，他那直想叛逃的手指頭，失去目標似的，流連在一方小鍵盤上，無意識地，敲打出零零落落的聲響；迷路似地，在這裡輕輕按扣一下；若有似無的，在那裏勉力敲打一下，製造出使用筆電時，該有的存在聲音，硬撐出安座在閱覽室，認真備考的樣子。而且，他藉此百般迷茫的游離動作，安撫自己，告訴自已，正在善盡一份份內之事。

可是，不知何時，他的手指頭，就在有一搭、沒一搭的敲鍵聲中，引渡了他，跳離研究報告，掙脫大考逼臨的時間羈絆，漫遊在無垠的網際網路中。

漫遊時，他那渾渾噩噩的意識，處在虛擬實境中，飄忽不定。

游離，飄忽；飄忽，游離。

突然，灰白的螢幕上，彈跳出鮮明的號外彈：

時空戰士召集令，

三人團限時搶票，

時空梭首航免費。

以行，用力地，眨了一下眼睛，潤濕了乾澀的雙眼。剎時，心跳加速，背脊挺直，十指懸空，微微抖動，雙唇不自覺的張合出：「號外彈？」

睡意，頓時去了大半。

他重重地，眨了眨眼睛，緊盯起螢幕，看清了喜從天降的超大訊息，確實無誤。

然後，砰——

號外彈，爆炸了！

號外彈，在以行的心中，石破天驚的爆炸了！

他被超強的量能，襲擊了心神，撼動了身軀，灌頂腦門，全然的，醒了過來。

他完完全全，清醒過來。

「召喚，是召喚。」

「號外彈，正在召喚我耶！」

以行激動不已！

從一個號外彈開始，他的生命引擎，發動了。

他發動了一段旅程，然後，亢奮的進入全燃狀態。

剎那間，不管期末大考，不管研究報告，一切都不重要了。

當下，就在當下！

以行毫不思索，立刻發動搶攻行動，加入秒殺搶票的行列。

他一次又一次、一次又一次的按下「Enter」、「Enter」、「Enter」！

他在自己的周遭，隱然地，架構起來一道無形的防護牆，好讓自己義無反顧地，搶攻難得的機會。

他的搶攻氣勢，銳利不可擋。

一次又一次的搶攻行動，帶來一次又一次的搶攻失敗。

一次又一次的搶攻失敗，伴隨而來一次又一次的搶攻行動。

一次又一次的搶攻行動，生發起一次又一次的熱切期待。

剎那間，緊跟著一次又一次的期待後，是瞬間幻滅。

可這輪番上陣的期待和幻滅，是夢想進行曲和輓歌的二重唱，也是冰火二重天的折騰啊！

****

以行越來越煩躁，指頭愈敲越用力。

他那煩躁地死力敲鍵聲，惹來四週一雙雙厭煩的眼光。

更誇張的是，他那死力的敲鍵動作，在冰火二重天的一再折騰下，就越來越鈍化和僵硬了。隱約地，像極夜半爬棺而出的僵屍，輻射出異質性的大躁動量能，衝擊了周遭時空。

阿光側著頭，帶著狐疑的眼神，邊瞄螢幕，邊問著：「搞什麼鬼？」

「搶票。」

「搶什麼票？」阿光在粗暴的敲鍵聲中，不自覺的，提高音量。

「時空梭免費票。」以行的敲鍵聲，收斂了些，卻又急切切。

「時空梭免費票！」

阿光驚訝極了！

稚盈卻被惹得不耐煩了。

「噓——」她在桌子對面，做著制止的動作。

可阿光無法壓下心中的驚喜，刻意壓低聲音，說：「哼，時空梭，免費？你可別唬人！那明明是非常昂貴的旅程，你知道嗎？」

「知道啦！」以行帶著焦躁不安的情緒，重重敲下「Enter」。

「知道？你知道它貴得讓人的美夢，都成了夢魘啦！」

阿光斜側著身軀，對以行嘟囔個不停。

以行僵硬的，持續搶攻行動。

「Enter！」「Enter！」「Enter！」

「噓——，別這樣！」稚盈傾身趴在桌面示警，卻同時用眼神探問著：「什麼事啊！」

以行硬是不理不睬。

阿光直盯著電腦，無暇多看稚盈一眼；況且，關於這檔子事，一時之間，他還真的不知道，該如何不出聲來回答她。

因此，阿光也不理不睬。

稚盈無奈的咬了咬牙，百般不快，心中暗罵著：「死傢伙。」

然後，她壓抑著心情，把視線調回筆記本，繼續先前的閱讀。

可真沒想到，這時，莫名的煩燥，一股腦的竄上心頭。

而且，連筆記本上一向忠心耿耿的文字群，竟然，也變了樣，亂了譜。

本來，整齊安靜的字群，這會兒，像似群起背叛，在她的眼底，胡亂跳動，亂紛紛。

她執拗著，硬逼自己，低下頭來，對抗擅自跳動不安的字群。

可這群擅自跳動的字群，為什麼動盪不安呢？

她不知道，也不曾想過。

但是，她終究騙不了自己。

她悶燒一把無明火，讀了，等於沒讀；看了，等於沒看。

「可惡！」

她狠狠的罵出聲音，抗議著。

阿光無動於衷似的，看了稚盈一眼。然後，乾脆推開攤在眼前的教科書，斜側身軀，手掌拄著下巴，把一雙像似凸出的魚眼，牢牢的，定格在以行的筆電螢幕上。

以行的敲鍵聲，帶著搏命攻擊的氣勢，壯烈持續著。

死命地持續著……

持續著……

突然，阿光大叫：「搶到了！」

這一叫，叫醒了昏昏欲睡的讀者，叫來了翻起白眼，直直瞪視的圖書館員。

這一叫，像支釣鉤，釣起稚盈滿是謎團的心，不假思索的啪——一聲，闔上筆記本，同時，反彈似的站立起來，撞得桌椅吱吱聒聒響。

以行隨手蓋上筆電，無聲地向稚盈點個頭，使個眼神，三人就先後離開座位了。

穿過沙發區時，阿光注意到，遊民已卸下隨身家當，頗有興致的瀏覽著報章雜誌。遊民的神情，像似在百老匯歌劇院，聆賞經典歌劇般的愉悅與自我滿足。

*****

稚盈極為不快。

一出閱覽室，就再也憋不住，發飆了。

「有話快說，有屁快放！」

她把剛剛被干擾、被漠視、被拒於千里之外的嘔氣，盡數在話語中，發洩出來。

可恨的是，以行毫不在意她的發飆，還神秘兮兮的笑了。

至於，阿光呢？

他也毫不在意。而且，還對著稚盈眨單眼、耍酷樣，狗嘴吐不出象牙似地，故意賣起關子，緩緩地說：「我看到預言了，而且，預言一定實現。」

狠狠的，稚盈瞪了阿光一眼說，「少得意，還拐彎抹角，閒扯淡。」

然後，她帶著強烈不滿，擺出大姊大的樣子，命令著：「說啊！」

這下子，阿光更是樂瘋了。

「我的夢想，要成真了。」

「哼，你的夢想啊，我聽得夠多了！」

不過，強烈的好奇心，促使稚盈又軟化了些許。

「實話實說，快啦！」

「旅行囉，免費，免費的旅行喲！」阿光邊說邊聳眉、擺肩又搖臀的肢體動作，誇張至極。

稚盈的眼睛，明明是一瞬也不瞬，盯著阿光，卻又裝出一副硬心腸，帶著責備的語調說：「什麼啦，神秘兮兮！要說不說的——」

可稚盈才說到一半，那一瞬也不瞬的眼神，卻又禁不住好奇心的催使，閃現出懇求的眼眸來了。

「快啦，說！」

哦，那神情，明擺著難以掩飾的責備和怒意，說著：「哼，有什麼了不起！一副愛說不說的，我可沒空，也懶得聽。」

咦，那神情，是多麼熱烈的渴望；渴望知道一切，明白一切。然而，就是不願明說，不願低聲下氣的求。於是，微慍的臉頰，竟然閃現一抹嬌羞，流瀉著耳

邊輕語的情調。

喔！這一切的一切，對阿光來說，當真別有一種風情，別有一股滋味在心頭。

他喜孜孜，誇張至極的舞動全身。

「耶，免費的昂貴旅程！」

「什麼跟什麼？還咬文嚼字，多說閒話哩！」稚盈撇著嘴道：「以行，到底發生了什麼事？」

「一起去時空旅行，要不要？」以行得意的甩著頭，摸了一把額前的瀏海。

「時空梭喔——」阿光搶功似的聒噪著，雀躍不已！

「時空梭？」稚盈圓滾滾的眼睛，睜得特大。

「你聽到啦——真像我老媽，不過少了魚尾紋。」阿光吊兒郎當的說著。

稚盈狠狠地瞪了阿光一眼，哼了一聲，擺出不在乎的樣子，然後，很努力地，以平靜的語調，問著：「去哪兒？」

「我呢，去哪兒都好。反正，我只去過我老媽那片念念不忘的黃土高原。所以啊！去哪兒都好。到處去流浪，就是我的夢想。」

阿光樂不可支，手舞足蹈，說個不停。

以行在橫竹階梯上，坐了下來。

「酷！結伴一起去玩，就是最棒的事啦！」

其實，以行連想也沒想，連問也沒問，就去搶攻時空戰士票，不是嗎？

對以行來說，不必多想，不必多說，行動擺第一，做——，就對了。

他沒有事先徵詢，沒有經過商量討論，一切理所當然地，三人成團，一起去闖天下啦！

可是，行嗎？

這樣，對嗎？

這夥子，沒有這樣的思維，沒有這樣的想像。

好夥伴間，本來就該是這樣。

好夥伴間，有的只是熱血的相挺與相伴，做——，就對了。

在熱血正義的澎湃中，根本不存在這樣的問題；怕只怕有誰不加入，欲想單飛，因為，三人成團，缺一不可。

缺一不可。

至於，其他有的沒的問題，一切好說。

或者，一切不管。
因為，密令已下達。

04 召喚術

走啊！走啊！
走到遠方去流浪，流浪到遠方！
走啊！走啊！
走到遠方去流浪，為了夢中的火光……

2017.10.13

阿光聒噪不休，直叫著：「酷，太酷了！」

而稚盈萬般煩躁，直想要搞清楚、弄明白，這突如其來的時空旅行。

「到底要去哪兒？」

「去哪兒都好！你去過馬來西亞、越南、美國、印度、日本、烏甘達、阿爾及尼亞、芬蘭、澳洲、西班牙，我呢，……」

「你──」稚盈再也聽不下，就出口打岔了。

可是，萬萬沒想到，稚盈才一開口，阿光又搶話嗆聲：

「去看看外面的世界囉！這世界什麼都有，正等著我去看、去玩，不是嗎？對我來說，去那兒都好，更別說是時空旅行了。」阿光興奮不已，自顧自說個不停。

然而，在阿光的嘻笑漫鬧、無的放矢中，稚盈對時空旅行的關注，就無可倖免的，被牽動拉扯著；對時空旅行的謎團，就無法抑制的，越滾越大了。

無奈，阿光越聒噪不停，稚盈想搞清楚時空旅行的渴求，就更加迫切。

阿光越有的沒的像麵線糊般，牽牽扯扯在話題中，稚盈的時空旅行謎團，也被牽牽扯扯，越滾越大了。

阿光的旅行瘋，逼得稚盈百般無助，落得萬分無奈，都快要害起失心瘋了。

更糟糕的是，阿光變本加厲，還唱起歌來：「走啊！走啊！走到遠方去流浪……」，他一再延遲著稚盈對時空旅行的清楚與明白。

她氣得牙癢癢。

「可惡！」

「沒完沒了，真是瘋了。」

她不禁暗罵了起來。

而以行呢？

他雖忙著開筆電，卻還不時地，和著阿光的流浪之歌；隨興地，輕輕搖擺著身體，一起同樂。

稚盈挫敗極了！

而阿光，更是囂張的高唱著：

「走啊！走啊！走到遠方去流浪，流浪到遠方！

走啊！走啊！走到遠方去流浪，為了夢中的……」

一遍又一遍，唱個不停。

稚盈大大的吐了一口粗氣，煩躁地在橫竹階梯，上上下下，轉化自己，百般壓抑地，告訴自己：

「別理時空旅行啦！」

「跳吧！跳開阿光的時空梭泥沼。」

「閃吧！閃開阿光的旅行瘋。」

可是，談何容易呢？

焦躁煩亂的心緒下，肯定會事與願違。

阿光的得意忘形和吊兒啷噹樣，逼迫著稚盈，好想衝上前去，直指著他的鼻頭，大聲喝令一聲：「閉嘴！」

*****

阿光狂歡的歌聲，凌遲著稚盈。

可這凌遲感，到底是來自稚盈的渴求？

還是，阿光的捉弄？

還是，不得而知的某種混亂或和諧的夢的召喚呢？

一時之間，稚盈陷溺謎團，又找不到謎團的線頭。

漸漸地，稚盈把自己逼進狹隘的心理空間，窒礙在不知道什麼是時空旅行的黑暗時空中。

她澈底的迷了，慌了，茫了。

到底該怎麼辦呢？

該怎麼辦？

她吐了一口穢氣，咬牙切齒的罵著：「可惡！」

「真可惡！」

而且，就在她感到挫敗、渴求、煩躁、困惑、憤怒間，她的腦海裡，已不知不覺地，轉起壞點子，思量著如何為自己脫困、突圍而出啦！

可是，她不知道自己的詭計。

她不知道，自己已卯起勁來算計，設下埋伏，欲想暗中索取謎團的密碼。她不清楚，自己已耍弄起犀利有如千年焠鍊的鋼刀，一出鞘就要斷了阿光的流浪夢。

她只是事不關己般，慢悠悠地，說起話來，「阿光，你說得可真沒錯呀！去那兒都好，去哪兒都行，更別說是，時—空—旅—行—啦！不過，阿光啊，你要不要，先聽個故事呢？」

阿光頓覺掃興！

可他又狡黠的，看了稚盈一眼，說：「故事，什麼故事啊？」

然後，他聳了聳肩膀，一副毫不在乎的樣子，坐了下來。那樣子，像是覺得衰到爆，也要窮開心，像是準備好了，就要聽一個好長好長的故事啦！

然而，阿光在你來我往的互動中，從來就不是省油的燈，絕不是省話一哥，不是嗎？

他難以就此罷休。暗地裡，念頭一轉，一支冷箭，咻——，射了出去。

「哼，你是誰啊，每次都愛當老大！」

*****

而稚盈呢？

雖然，她不曾知道，自己的精巧算計，這下子，可免不了暗爽一番。

無論如何，這一石二鳥的算計，暫時奏效啦！

她攫住了話語權，開始說起故事，「很久很久以前，在喜馬拉雅山南部，住著一群原住民。他們靠著遊牧為生。夏天時，牧民就趕著牛啊、羊啊，或者駱駝，上山去放牧；冬天時，他們又趕著牲畜，下山放牧。」

「哪兒有水草，就往哪兒去。」

「是啊！太陽一起床，牧民和牲畜就起床。太陽一下山，牧民和牲畜就依著大地休息。在放牧途中，要是吹起呼呼強風時，牧民還會停下來，跟孩子們聊一聊。」

「聊什麼？」阿光暗暗等著反擊的時刻，索然無趣的應了聲。

「牧民會說：『孩子啊，好好地看著，看著樹葉，如何搖擺？看著黃沙，如何飛揚？看著雲飛，用心地，去感受風的吹拂和風向……』」

「要幹嘛？」以行好奇的問。

「無聊呀！這還要問？」阿光的怒氣，像似風中飄忽的火苗。

「才不呢！風會告訴牧民，該往哪兒去？該做些什麼？」稚盈得意洋洋的理直氣壯著。

「哼，那有什麼了不起！風向雞，也能玩出方向來。」

阿光見縫插了一針，暗擺了一道。然後，他又賣乖樣，等著繼續聽故事，表面看起來，就像什麼事都沒發生的樣子。

可他的腦海中，卻毫不客氣地，持續飆馳著：「放屁！風吹了，就是風吹了。它不是要告訴牧民什麼訊息。」只是，他不知道。

以行若有所思，緩緩地說著：「牧民挺厲害哩！他們會聽風聲，會看雲飛，會思考放牧方向和漫遊的地方。」

「沒錯！」稚盈受到鼓勵，說起故事，就更起勁了。

「放牧時，牧民採集野菜，揀拾掉落的果實，觀察動植物生態，還為孩子們說著很久很久以前的故事。他們在蒼穹大地間，在黃沙漫漫、水源旁，在林子野地、牛羊群裡，隨機的為孩子們說啊說，教會孩子們，去感受大自然，去理解有關距離、氣候、時間和四季等生存的知識。」

「了不起，真是生活大師啊！」阿光搖頭晃腦，用挺刻意的語調，說著話中話。

「你說什麼？」

「沒什麼啦！」

「明明就是有什麼，還說沒什麼。」稚盈不甘示弱，直接槓上。

「怎麼還不是時空旅行！」阿光暗自著急，惱怒著。

以行邊操作筆電，邊當起和事佬，轉化煙硝味：「嗯，牧民挺關心生活週遭的光啊、土啊、風啊和水啊！」

「牆頭草。」阿光遷怒以行，暗罵了起來。

可稚盈聽到以行的話，更是鏗鏘有力的說：「沒錯，牧民能夠順應大自然的脈動，活進宇宙的生命節奏中。」

「呸！」阿光不經意的出聲，翻了白眼，然後，不甘寂寞似的，帶著不可思議的嘲諷語氣，說：「有夠厲害！竟然，還能活進宇宙的生命節奏中。」

「這是真的。後來，他們為了躲避饑荒，為了生存，就離開了世世代代，賴以為生的那一大片牧草野地啦！」

「去了哪兒？」以行好奇的追問。

「對呀，去哪兒？」阿光揚著眉，挑釁地質問。

「牧民跟著陌生的商隊……」稚盈說。

「什麼隊？」阿光存心打斷稚盈的話頭，裝傻呆問。

「作生意的隊伍啦！」以行舉高臂膀，抹了一把額頭上的汗水，並向左邊甩了一下有點脹痛的頭，順便甩開瀏海，讓自己涼快些。

「陌生的商隊呀！」阿光漫不在乎的，隨口說著。然後，神祕一笑，轉而誇張逗趣的扮起牧童。

「我高高揚起小皮鞭兒，聽著駱駝鈴，叮噹叮噹響。

我趕著牛羊，跟著商隊，走啊走啊走，追逐夯夢想。」

稚盈揚起嘴角，邊看阿光耍寶，邊搖頭。

阿光挺有創意地唱著、玩著，一陣戲耍胡鬧後，又說：「跟著陌生商隊，走呀走，去看外面的世界，有趣耶！」

突然，他又鬼靈精怪地說：「嗯，這倒像用黑布條遮眼睛，玩躲貓貓遊戲，好玩哩！」

「拜託，阿光！偶而，玩玩躲貓貓遊戲，當然有趣，不過，你別忘了，那是牧民在過日子，不是在玩遊戲呀！」

然而，過日子，不能玩遊戲嗎？

阿光以為牧民一步一步，走在大地上，肯定能看見一些新奇事，走出活路來。以行空茫的看向遠方，懷想起牧民的境況，多了悲天憫人的心緒，說：「牧民多少會有些無奈吧！」

「怎麼可能？怎麼會呢？」阿光想要出去旅行的渴望，讓他想破了頭，也想不到會有無奈的感覺啦！

「牧民拋下家園，離得遠遠的，而且，還是跟著陌生人，走啊走，茫然地，踏上未知旅程，走得遠遠的，總該會有個原因吧！」稚盈邊說邊臆想著，從未想過的問題。

「嗯，商隊要去的地方，肯定是人多的地方。人多的地方，牧草就少了。少了牧草，怎能放牧？」

「不能放牧啦！」稚盈的聲音，滿溢著無奈的心情，像似說著自己的切身事。

「然而，牧民還是跟著商隊，走啊走，一路走下去，不斷漫遊，離家就越來越遠了。」

「離家越遠，就越看不清來時路，回不了家。」以行悠悠叨絮著。

「無聊喔，誰說他們要回家呢？」阿光大聲抗議，「牧民是要離—家—而—去—！而且，那是冒險旅程，好玩的冒險旅程哩！」阿光的說話氣勢，不僅為牧民而辯，更是為自己，十足為了自己，而揚聲抗議。

「是啊！牧民是要離家而去。可是，走啊走，忘了自己原來的生活，忘了自己的傳說，……，最後，竟然把自己也給忘了，還世世代代，流落異鄉，成了吉普賽人了。」

「你到底有在聽我說話嗎？」阿光暗槓了一句，揣想一番，轉口說：「追夢啊！能夠這樣子，挺好玩。」

「好個追夢呀！」以行的聲音，藏著複雜的東西。

「牧民離開了牧地，沒了根，四處漫遊，四處浪蕩，走起來，難免虛虛浮浮；心，肯定不踏實。」稚盈心不在焉，邊轉著眼球，邊無力的叨唸。然後，飄忽的視線，越過了圖書館的大門廊亭、紅磚道，望向遠方彎曲的小徑，似乎認真的回想著什麼，努力的極想記起什麼，似乎又出了神，空空洞洞的飄盪在不明的時空中。

＊＊＊＊＊

「追啊，就要追夢。而且，能夠這樣子去追夢，挺棒的，不是嗎？」阿光不禁興起羨慕之情，在心底暗暗的哼唱著：「走啊！走啊！走到遠方去流浪，流浪到遠方！走啊！走啊！走到遠方去流浪，為了夢中的火光……」

好不容易地，阿光直白的問：「對啦，以行，時空梭到底要帶我們去哪裡玩？」

以行遞出筆電，方便阿光和稚盈的瀏覽。

「網上資料，不是很齊全。還要行前培訓，八月一日啟程。」

「通過了文化檢測，才算完成報到手續啊！」

「什麼叫文化檢測呢？」

「管它耶，到了就知道——這可是宇宙探發局和文化傳衍部共同辦理的活動，應該還好吧！」

「沒問題啦！」以行輕飄飄的話聲中，藏著不堪負荷的沉重，仍掛在網頁上搜尋，瀏覽著好一會兒後，才振奮地說：「哇啊，等待搭乘的名單，長的像望不到底的旅程。」

「少掰了，哪能那麼長！」然後，阿光充滿激情的說：「不過，還是謝謝老天爺，這可是個暑假大禮。老媽要是知道，我要去時空旅行，肯定比我還興奮。」。

「沒錯！」稚盈篤定的知曉，回到家只要跟阿姨報備一聲，就可以了。而且，有了時空旅程，暑假就可以順理成章地，擺脫弟妹們像跟屁蟲般的叨擾啦！

至於爸爸呢，只要不去煩他，擾他，什麼事都好說啦！

爸爸呀，肯定沒空搭理這檔子事。

可稚盈一想到這兒，又有了某種悵然若失的茫茫然，無依無靠的飄忽感。

05 怒獅的雷吼

他全心按捺下焦急的心緒，連呼口大氣都不敢，卻又故意擺出事不關己，低頭就碗，扒米粒。

可那碗口上的眼神，卻如洞口狡兔，不停的窺視。

窺視。

矮几上，有一座小魚缸，小金魚自在的游來游去。

立燈的柔光，隨著小金魚的迴旋游動，在碧綠水草和晶瑩水泡間，搖晃著無比輕盈美妙的七彩光影。

原木雕花的餐桌上，擺放著青蔥花皮蛋豆腐、香爆蒜片地瓜葉、雞肉香菇筍子湯和芥藍炒牛肉，散發出濃郁的香氣，挑逗以行的味蕾和空虛的胃。

以行衝下樓來，傾身看了一眼菜色，口裡嚷著：「好香喔！」，就伸出指頭筷，夾起牛肉片，直往嘴裡送，然後，轉身拿起魚飼料，餵小金魚，愉悅地說，「嗨，小魚兒。」

爸爸一聽，轉個頭，看到以行羨慕的眼神，尾隨著小金魚在綠水草間，穿梭洄游，就輕聲低喚：「吃飯吧！」

爸爸喝了一碗湯，眉飛色舞的說：「今天的驗收，順順利利。客戶追加的訂單，夠忙到明年第一季囉！」

「太好了！」媽媽夾起油綠地瓜葉，輕鬆和著。

「明年第一季啊！那樣子，可真是太棒了。」以行熱切的附和一番，心底不由自主地暗爽著：「機會來了。」

然後，他溜一溜眼珠子，舉起筷子，邊挑夾牛肉，邊沒事人般，閒話家常：「今天，我也碰上好運氣，贏得一個大好機會。」

「哦，什麼樣的大好機會呢？」媽媽開心的問著。

「時空戰士啊！」

「什麼時空戰士？說來聽聽。」爸爸隨口應著。

這時，亂沒來由地，以行突然猶豫了起來。

「角色扮演 cosplay 嗎？」媽媽興致勃勃接著問。

「不是啦！」以行有點兒氣餒，急忙否定。

「不是 cosplay，要不然是什麼？」爸爸沒有多說，只是輕鬆的問著。

「真是小看人，老是看扁我。」以行暗自忿忿不平，也沒多說什麼。可是，他心裡有鬼似地，竄起一股莫名壓力，偷瞄了爸爸一眼，吞了吞口水，忸捏無語，坐立難安起來了。

「咦，怪了，這孩子怎麼了？」媽媽若無其事的納悶著。

「鬼鬼祟祟，肯定有鬼。」瞬間，爸爸改以銳利的眼光，逼視以行，無言地探問著：「玩什麼把戲？」

他定定地，等著。

等著。

「說啊！」爸爸耐不住這番延遲，出聲催促。

可是，爸爸的催促，沒能催出以行的話，倒催得他更加慌亂。

糟糕的是，以行一慌亂，腦袋瓜緊跟著當機，杵在桌旁，像極了不知所措的呆頭鵝。

「嗯？」媽媽恰如其份的發出聲音來，沖淡了不少緊張氣氛。

她以溫柔的眼神，看著以行，安撫著他。

以行扭捏著，沒有回答。

「真是莫名其妙，少蠢了。」以行討厭的暗罵自己。

無論如何，他想不到，原本絕佳的好事，怎麼會在這時，莫名其妙的，浮起陰影，蒙上一層灰黯不明的薄紗，壓上心頭，讓人喘不過氣來？

可它就是發生了。

過了一會兒，以行吃力的咧開緊閉的雙唇，擠出一絲笑容，表情有點尷尬，支支吾吾地說：「那個，那個，我要去……」在爸爸的特別關注和催促下，以行完完全全，失去了搶攻時空梭免費票時，那種不顧一切的膽識，不顧一切的行動力了。

他不由自主的失了心，咬了咬下唇，暗罵自己：「孬種。」

媽媽放下筷子，一心一意的問著：「你要去哪裡？」

「我，我要去……」以行邊咬螺絲，邊瞄了爸爸一眼。這一瞄，更是吞吞吐吐地，吐不出字兒，說不出話來。

「要說就說，別吞吞吐吐，你，到底要去哪裡？」爸爸嚴肅生硬的逼問。

以行帶著怒氣，憤憤地說：「去時空旅行啦！」然後，他的眼神，飄忽了一下，伴隨一絲莫名的氣餒，背脊透出絲絲涼意，夾雜著擔心味兒。

「真的時空旅行？」媽媽張大眼睛，充滿驚訝的追問著。

以行看著媽媽的激情反應，不禁興起一絲自鳴得意，卻又無法完全擺脫心底隱約的煩憂，小聲回答著：「真的。」停了一下子，才斷斷續續，耳語般地說出：「而且，那是時空梭的首航。」

「首航？」爸爸慎重的確認著。

以行垂著頭，不敢正視爸爸的眼睛，無力的點著頭。

可是，他的頭，還沒點完哩！

「首航，不行！」

爸爸的聲音，就像透過大聲公喇叭，直對著以行的耳膜嘶吼，斷然制止著。

「不行！」爸爸像一頭怒獅，張大口，雷吼。

剎那間，爸爸的聲爆，震得以行支離破碎，自我迷航。

他的每個細胞，像似被捆縛在某種真空狀況的時刻裡，動彈不得。

他彷彿陷入暗黑深水中，即將窒息，即將滅頂。

「你早知如此，不是嗎？」他無能為力，懊惱著。

然後，垂頭喪氣，自我責備。

「為什麼要發動搶攻行動，加入秒殺搶票的行列？」

「為了搶票，還惹來一票白眼和一堆鳥氣！」

「你這是何苦來哉？」

「自找苦吃。」

然後，百般不情願，自我掙扎。

「難道，爸爸一吼，就得嚇得束手無策，嚇得噤聲無語，極端狼狽的重摔撲跌，掉進黝黑洞穴裡，暗自哭泣嗎？」

「難道，你又要豎白旗，自我放棄嗎？」

「不可以。」

「不。」

「絕不！」

以行下定了決心，吞了吞口水，深吸一口氣，轉為生硬，卻聲細如蚊，說：「我們早就敲定了！」短短的話語，露出了虎頭蛇尾、無力堅持的疲軟樣。

「早就敲定！你們敲定了什麼？」爸爸緊緊追問。

「你們，你們又是誰？」媽媽擔心的問著。

「我們——稚盈和阿光啦！」一時情急，以行搬出好友當擋箭牌，結結巴巴的說著。

他努力的控制著，好不容易才建立起來的一點信心和些許力量，賣力的想要扳回快要失控的心情，說：「我們參加了限時搶票。我們搶、搶、搶到……」

「別急，慢慢說。」媽媽緩著語氣，「你們搶到什麼？」

以行的額頭上，滲出豆大的汗珠，心底著急不已！

他連續做了好幾個深呼吸，好不容易，才說出：「我們搶到時空旅行的首航……」

「不行！」

「首航，不行！」

爸爸像怒獅般狂吼著。

憤怒的吼叫聲，猶如萬鈞雷霆，打上以行的心頭，震得他渾身發抖，擊碎了他小心翼翼維護的乖順。

唉，恐慌大獸，橫行在以行的心頭；他被追殺，他被逼迫，他無力擺脫心頭的黑色魅影，他快要按捺不住情緒了。

*****

而莫名焦慮，也橫行在爸爸心頭，一路追殺，一路逼迫，死硬地，指使他強烈反對，驚恐的獅吼。

「不行！」

「絕對不行。」

突然，以行的身子，一陣火熱，黑色魅影就在當下，趁機發威。

糟糕的是，爸爸心頭的恐慌怪獸，更是作威作福，化成沉重的莫名恐懼，連番獅吼著：「不行！」

「無論如何，絕對不行！」

「絕對不行！你聽到了沒？」

連番獅吼，噴射出激烈的暗黑能量，滋養了時空中的所有物質，也壯碩了黑色魅影。

以行脹青著臭臉，哼不出一點聲音；他的身體，像大理石般沉重，不得動彈，表情又臭又硬，說不出話來。

「不行就是不行。你聽懂了沒？」獅吼再起。

「要是可以，我早就幫你，幫你安排妥當了。」

頃刻間，以行被腦海裡的黑色魅影，完全掌控住了。

他的情緒，完全脫序崩裂，霹靂啪啦，猛然跳起，撞到桌角，擊翻椅子，失去重心，倒向矮几，嚇得連養在玻璃缸裡的小金魚，也無比恐慌的四處竄游，撞著玻璃缸，瞬間，自我迷航。

他激射出久被壓抑的叛逆因子，像一頭瘋獅，全身戰慄的獅吼：「安排妥當，安排妥當，你所謂的安排妥當——不就是金頭腦，或是，機器人大賽。那些比賽，都是你要的，又不是我要的，我才不希罕比賽啊，證照啊，獎盃啊，那些炫目招搖的東西，閃亮的玩意。」

「啊？！」

媽媽暗叫一聲，本能地緊急出手，拉住以行，避免他撲跌下去，壓碎玻璃缸。然而，小金魚還是隨著突如其來的碰撞、劇烈晃動的水流，被潑灑飛濺了出來，翻落地面，張著大口，奮力拍打著大尾巴。

爸爸脹紅了臉，暴粗了筋，喉頭就像被堵了一團乾饅頭，快要窒息無法呼吸了。

媽媽手忙腳亂的捧起小金魚，放回魚缸裡，缸水仍晃動不已。然後，她緩緩地垂首轉身，暗自思忖著：「如何化解僵局？」

此時，餐桌上有如烏雲密實籠罩，靜得離奇，靜得異樣，以行萬般慌亂，如芒刺在背，全身上上下下沒有一個地方得以安適。

他腦袋一片空白，頹然跌坐椅子上；心智像是久久未曾上油保養的機件，生了銹，無法順利運作。

他完全不知道，該如何是好！

黑色魅影，囂張地，攫住了以行，也攫住了爸爸。

突然，響雷猛烈地由空劈下，斷然掃蕩餐桌上的窒悶。

「你說什麼？」

爸爸像一頭狂亂的瘋獅，惡狠狠的逼近以行；連環珠炮似的怒罵聲，狂飆漫射，「哼，我花了這麼多錢，還不是為了讓你去看看外面的世界，讓你增廣見聞，讓你有能力走向世界，讓你有全球競爭力……」

以行在盛氣中，心底翻攪，猛烈回嗆著：「說謊！」

「冠冕堂皇的謊話。」

「鬼話連篇。」

「鬼才相信咧！」

可是，心頭幻現的魅影，逼迫著他，壓制著他，說不出話來。

哼不出一點音絲。

氣氛變得異常紛亂、異常詭譎。

媽媽急忙打圓場，「來，吃飯。」

「先吃飯，待會兒再說。」

可是，緊繃的氣氛，實在讓人難以下嚥，以行渾身不自在。這時，像似千萬枝針尖稻芒，同時扎刺上身，令他渾身難耐。

他煎熬著自己。

他竄起一股直想逃離餐桌的衝動。

「逃！」

「逃為上策。」

「逃了，一切就沒事。」

他直覺反射，屁股即將離座，後腳跟就要踢向座椅，再次彈跳而起……

轉瞬間，他從過往經驗，而有了某種驚覺。

「沒事？」

「真的沒事？」

「那可就真的沒事了。」

他感到無奈至極，而大大的嘆了一口粗氣。

「夠了！這種蠢事，已經夠多了。可別再拿時空旅行開玩笑。」

然後，他的腦中，閃現了阿光樂翻天的樣子。

「不能讓阿光失望。」

「不能放棄，這一次，絕對不能放棄。」

「就算為了阿光，也不能放棄。」

以行百般努力的說服自己，使勁彎曲著手指，扣緊椅子，強迫自己，把屁股死死地黏在椅子上。

肩膀有股異常沉重的壓力，逼迫著以行，黏坐椅子上。

堅持下去。

堅持。

然後，他轉移注意力似的，垂下頭來扒飯，一口接一口，熱鬧的敲弄碗筷，聲音異常刺耳。

*****

媽媽瞧了瞧這對父子，不知為了什麼，竟然，哪壺不開，偏提哪壺，閒閒地說：「這一陣子啊，我那票姐妹淘們，聊到時空旅行時，都顯得興致勃勃。」

以行一聽，馬上抓緊機會，接著說：「鐘阿姨和小禎阿姨，都預約了時空旅行。」

「哦，你怎麼知道呢？」媽媽好奇的問著。

「往時空雲裡一抓，不就清清楚楚啦！」

「有這回事啊！」媽媽停了一下，轉口說：：「我在報導中，看過時空梭的內部相片，那膠囊似的床艙，看起來挺特別的。」

「對，挺特別的，特別像一座棺材！」爸爸狠狠的撂下話。

媽媽閃個神，愣了一下，然後，深深地吸口氣。

「以行啊，我們都知道，當宣傳報導一再被炒作，很多人會為了趕個「潮」，或是，為了圖個「炫」，就一窩蜂似的湊熱鬧，不曾認真周全的想一想，自己真正在意些什麼，想要些什麼，這個你同意嗎？」

以行無聲的點了點頭，然而，媽媽明明是問著以行，卻又毫不期待他的回答。

「爸爸和我——，我們確實也討論過時空旅行，我們確實也猶豫過，要不要去預約時空旅行，不過，我們想等一等，過一陣子，再說。」

爸爸耳根赤紅，塞滿食物，高高鼓著腮幫子。

「可現在——，這真是一個唐突的大好良機啊！」媽媽有意無意，話中有話。

「我當然知道，這很唐突。但是，預約名單，已排到二〇三五年啦！」以行萬般心急地說著。

「哦——」媽媽長長的應了一聲，皺了皺眉，斜著眼角，瞧了瞧爸爸，接著說：「而且，費用不便宜啊！」

以行一聽，戰鬥力馬上飆昇，脫口而出：「一毛錢都不用！」

「一毛錢都不用？」媽媽極為訝異，慎重地問著。

「對！一毛錢都不用。」以行像是吃了一顆定心丸，穩穩地說著。

他知道爸爸會堅持些什麼。然後，就這樣，他又滋生出勇氣來了。

勇氣，極端戲劇性地，湧現出來。

他勇敢地把眼光，迎向老爸，以一種像是在進行某種重要的報告結論似的語調，帶著一絲絲的自鳴得意，說：「一毛錢，都不用，完全免費。」

爸爸放下筷子，認真的打量著以行，又注視著餐桌上的菜肴，好一會兒之後，才又拿起筷子，挑夾牛肉，自言自語般，話聲說得很輕很輕。

「免費啊！」

然而，以行卻像戴上高檔耳機，聽得一清二楚，特別清晰。

*****

爸爸的話，讓以行高度期待著。

可他一期待，心念又亂了起來。

那種感覺，就像走在高空繩索上，必需小心翼翼的抓穩平衡感，避免跌落下來；那種感覺，就像走在地雷區，必需小心翼翼的觀察因應，免得一失足成千古恨。

於是，他全心按捺下焦急的心緒，連呼口大氣都不敢，卻又故意擺出事不關己，低頭就碗，扒米粒。

可那碗口上的眼神，卻如洞口狡兔，不停的窺視。

窺視。

而且，在那窺視的滴答中，時間似乎詭異地暫時停住，淨空所有的聲音，兀自等待爸爸。

緊繃的以行，像已拉滿弓的箭，等待著——

一觸即發。

「首航，會不會太冒險啊！」爸爸緩緩地說著。

媽媽靜靜聆聽，嘴角因而稍稍揚起。

「時空旅行，安全嗎？」爸爸喃喃自語著。

「當然安全啦！」以行理直氣壯的，就要衝口而出了。

可是，就在此關鍵剎那間，媽媽安靜地在桌子底下，輕輕地，用腳踢了以行一下。

那一下，四兩撥千斤，制止了以行的莽撞。

以行緊急剎住，把衝到喉頭的話兒，硬生生的吞回肚裡，翻攪幾回，表面上，不再衝動，不再辯駁。

餐桌的氣氛，剎時，又凝住。

在凝結的氛圍中，爸爸邊夾菜，邊自言自語，「為什麼是你們搶到時空梭的免費票，而不是別人呢？」

一時之間，以行無言以對。

因為，他壓根兒沒想過，這會是一個問題。

他無言以對。

「不過，說到搭乘時空梭，能夠免費嘛——頭一次聽到，這可是頭一遭，頭一遭啊！」爸爸在自言自語中，著著實實，自我遊說著。

「難得啊，難得！」爸爸藉著斷斷續續的碎語，儲備足夠的勇氣，去突破自我的恐懼魅影，去相信孩子的唐突好運，去肯認兒子的卓越能耐。

以行壓抑著自己，耐著性子，不多說什麼，不多做什麼，然而，心底還是禁不住暗叫一聲，「耶——。」

他好像聽到一群喜鵲，飛到窗前的綠樹上鳴唱，竊喜的把碗高高地端在半空中，一動也不動，耐心的等著，靜待餐桌上的氣氛，回溫轉暖。

爸爸邊吃飯，邊隨興地說：「這算得上大好機運。」

「嗯，確實是大好運道。」媽媽隨口應著。

「你怎麼會有這樣的大好機會呢？」

「我秒殺……」以行脫口而出，又立即剎住。

他自我警覺著，然後，為了周全防禦似的，生硬轉口，說：「稚盈、阿光和我，我們三個人，組成一團，去秒殺搶票，搶到了免費票。」然後，舉抬了雙肩一下，似乎釋放了心頭壓力後，才說：「我們就這樣敲定囉！」

爸爸聽完，終於下了天大決心似地宣佈著：「既然，你們已經敲定，那就敲定吧！」

「對啊！」媽媽愉快的和了一聲，又認真的問了起來：「你真的想去？」

「去！當然要去。」以行得意地回應著，耳中似乎聽到柳林中的風聲。

畢竟，這趟時空旅行，可不容易才掙來的呀！

而且，這可是完完全全由自己掙來的時空旅行，怎能不去呢？

爸爸看了看以行，想了想時空戰士，眼中閃現難以察覺的笑意。

06 狂奔的魅影

小光點，雖閃爍不定，剎那飛逝，卻帶著某種看不見的力量，激發了旅人的大腦神經觸突的增生，改變了神經迴路的連結，添增了創意理解和溝通能力，催化了戰士的意識醒覺，向著真正的時空旅程，行去。

走一趟真實的時空旅程。

天光濛濛亮，樹上的蟬鳴即將聒噪，廚房就熱熱鬧鬧的醒了過來。

流水聲，嘩啦嘩啦響，媽媽在沖洗水果。

突然，機器的磨豆聲，勇猛的叫了一陣子。

然後，濃郁的蔥煎蛋香、咖啡香，喚醒了以行。

他快速地完成了早晨的梳洗，三步併作兩步，帶著跳躍的心，奔下樓來。

「早！」

「早啊！以行。」

「爸，你今天這麼早起，要趕飛機嗎？」

「沒啦！不趕飛機。」爸爸輕鬆的答著。

「不趕飛機，幹嘛這麼早起？」

爸爸一聽，轉了頭，迎看了一眼「時空戰士」，然後，心裡轉悠著：「我要笑著送你，去時空旅行啊！」

可爸爸的嘴裡，卻說：「要豆漿，還是咖啡？」

「有檸檬紅茶嗎？」以行問。

「想喝，就自己泡呀！」媽媽邊說邊端來堆滿芭樂、芒果和香蕉的彩色果盤，滿臉笑意地對著爸爸，搖了搖頭。

那樣子，是在說：「真是服了你！」

然後，她轉個頭，對以行說：「傻孩子啊！你爸可是為了你，才特別早起。」

「喔——」以行尷尬了一下，側轉著頭，說：「謝了，爸——」

「來，勇闖冒險旅程。」

爸爸高高舉起馬克杯，賜福以行，勇氣倍增，邁上奇異旅程。

「旅程平安。」媽媽也祝福以行。

以行囫圇吞棗似的吃過了特早的早餐後，就一把抓起背包，轉身朝向門口走去。

媽媽見狀，立即停下早餐，迴轉身來，叮嚀著：「路上小心。」

爸爸忙著吞嚥下口中食物，目送著以行的背影，說：「一路平安。」

以行舉高手臂，揮了揮手，說：「再見了！」連頭也沒回，就迫不及待的出門，邁向未知的旅程，追夢去了。

＊＊＊＊

晨風中，高聳的南洋杉，站在社區公園的入口，輕輕款擺，像是列隊歡迎的衛兵。旅人們晶亮著眼睛，踩著跳躍的步伐，精神昂揚的穿越社區公園。

公園的步道小徑旁，文殊蘭茂盛勃發，就連晨露也晶盈渾圓的映照著亮麗的朱槿花，宣告著生命的美麗。

準備跳元極舞的嬸伯們，看著滿身帶勁的旅人，不禁稱讚著，「少年耶——，這麼早就出門，難得喔！」

青楓搖曳，樹下的石凳上，有人在靜坐。

草地上，三個人在打太極拳。有一隻綠蚱蜢，在狗尾草叢裡，把觸角動了又動，像在收聽大地的新聞。

雀榕下，突然響起叮叮咚咚的彈跳聲，是大珠小珠傾瀉落地的美妙與輕脆。

喔，原來是餵鳥人，撒下黃橙橙的玉米粒，一群鴿子馬上圍過來搶食。

有隻松鼠趴在樹上，靜靜地，瞧著這一番熱鬧，似乎也在等待著搶食玉米粒的好機會。

旅人們，興奮的吱喳不停，趕搭上頭一班列車，換了兩段地鐵，轉往未來坵，搭上聖稜線，並在一個山麓小站，改搭每日僅有兩班的登山電動專車。

短短三節的登山專車，坐滿了各式各樣的人，看似人人都熟識，卻又人人不語，分別埋首手中的一方閱讀或遊戲。

旅人們，不便多說擾人話語，兀自看著車外的原始綠林，聽著晨風在綠林中穿梭戲遊、鳥群的吱喳吟唱，不知不覺的，先後都闔目補眠了。

登山專車，緩慢的爬行在山風、綠林和鳥鳴中，好不容易，爬上了一段陡坡，停了好一陣子，又發出嘰嘰卡卡的一串雜音，準備要下坡倒退行走。

以行被登山專車所發出的雜音，叫醒了過來。

他往窗外一瞧，心底困惑著：「明明要登山，幹嘛倒退嚕呢？」然後，好奇地端詳著登山專車，又吃力地爬上緩坡，之字形迂迴前行。

他引頸企盼，眺望著窗外。

山中小月台，地處小台地，是個四腳亭樣。四腳亭，有四根柱子。可那朱紅柱子，是粗大的消防栓樣，讓人一見，不禁多了一份醒覺心，提振起心神來了。

宇宙探發局，終於到了。

一到站，所有的旅客，都站了起來。剎那間，車廂內流竄著乾澀無味的人聲人語，人們魚貫下車。

以行的眼光，滴溜溜的探向小月台，穿梭在旅客群中，找尋宇宙探發局的接待員，嘴裡還一邊嘟囔著：「應該到了吧！」

這時，睡飽的阿光，回首瞧了瞧空蕩蕩的車廂，驚奇的叫著：「你們看！」

「看什麼？」以行帶著些微煩躁的語氣，停下腳步，回頭看阿光。

「這列電車啊！」阿光邊說，邊用手指著車底。

「哦？」以行同感驚訝的應了一聲。

「夠絕吧！階梯狀的車底盤。」阿光仍處在發現的驚喜中，聒噪著。

可是以行牽掛著要快快找到接待員，低頭瞧了一眼車底盤，敷衍似的應著：「是啊！」

「別再看了，快下車啦！」稚盈等在車廂門口，回頭催促著旅人。

於是，他們一起結伴，跨出車廂，走入月台。

*****

一眨眼功夫，其他旅客，似乎就要走光了。

只有旅人，仍留在四腳亭小月台上，等著接待員尋來。

突然，鳥群從附近的樹冠中，紛紛竄飛出來，彷彿受到某種驚擾似的，竄飛出來。薄霧，從山谷升起，漸漸地，游離林中，漫成了極目望去，竟是模模糊糊的霧影；霧影碎裂晨光，緩緩繚繞，沒了樹林，沒了樹冠，還漫覆了四腳亭，奪去了刺目鮮紅，有如消防栓樣的亭柱。

旅人四下張望，空無一人，不禁興起一股不明的焦慮。

突然，匡啷一聲巨響，月台猛然下沉，震得旅人心頭大驚；緊接著，又是一陣天搖地動，晃得旅人心驚膽顫，僅能憑著本能，不自主地，向著月台中心，靠攏而去，流露出迷路孩童般的無助樣。

「瞬間走山嗎？」

「還是，時空跳躍？」

「很嚇人耶！」

以行突然感到頸子僵硬，肩膀異常沉重。

「我們不在四腳亭，不在小月台啦！」

「啊，變成四面鏡廳了。」

以行東看西瞧，更是著急地找尋接待員的蹤影。同時，他以為自己就是探路人，要在茫然無路中，找到正確的出路。

他不由自主的，扛起了尋人的重責大任。

「空空蕩蕩的大鏡廳，沒半個人影。」

「其他旅客，都去了哪裡？」

旅人著實慌張起來。

以行莫名其妙地，一邊喃喃自語，一邊團團轉著，找著。

「接待員呢？」

「我們困在大鏡廳了。」

「怎麼會困在這裡呢？」

然後，他不自覺地，在大鏡廳裡，跑動起來。

他的慌張樣，一下子，投射在這面鏡子，一下子，投射在那面鏡子。

「糟糕，八面鏡廳。」

他慌亂地，越跑越快。

他在慌亂的心念下，看到自己的身影，被鏡面帷幕切割、裁斷、支解成頭、身、手、腳等，異位而處，錯位而居。

「以行，你怎麼啦？你這樣，會害人擔心害怕耶！」稚盈問。

「你別緊張兮兮，好嗎？」阿光也說。

可是，以行聽不到，也看不到身旁的友伴。

因為，密令已下。

以行只能依著密令行事。於是，他似乎在自己的肉眼上，矇了一塊無形的詭異布條，只能見到慌亂的自我身影，飛奔，閃躲，跳躍……

他看著自己的鬼影子，胡亂的在鏡子與鏡子間，映現、閃跳、竄逃、消逝、飛撲……，他無知無覺地，掉入自我幻象中，不知不覺地，用自我幻象，迷惑自己。

「哪一個才是出口呢？」阿光問。

以行沒聽到，也沒回答；他看不見身旁的友伴。

「糟糕，迷航了！」

「我的錯。」

「都是我的錯。」

他慌亂無主的自言自語，四處竄逃，使勁壓迫鏡面，妄想推出一個能夠逃離大鏡廳，前往心念高高懸掛的宇宙探發局。

可是，以行越慌亂，鏡子就越來越多；越來越多的鏡面帷幕，裁斷、切割、支解出越來越多部分、片面、猖狂無主的鬼影子。

他的身影，鬼魅般的投射、飛撲、躍動、閃現、竄逃、消逝在鏡子裡。

他看到鏡子上端有自己，鏡子下端也有自己；這面、那面、側面、每一面鏡子上，全是猖狂無主的自己。

猖狂無主的以行，在這兒，同時，也在那兒；在那兒，同時，也在這兒。

越來越多的鏡子，存在著越來越多個以行；然後，數也數不清的多稜鏡，全是旅人支離破碎的狂亂魅影；每個都是自己，每個也都不是自己。

狂妄的以行，掉入自我的極度恐慌時空裡，忘了旅伴，也忘了自己的存在。

而稚盈和阿光，雖然也受困在大鏡廳裡，倒還是自在地東看西瞧，邊觀察周遭環境，邊聊著天：

「糟糕！這大鏡廳看來還真有點麻煩哩！」

「看來像似要考驗我們，密室逃脫的能耐。」

「放心吧！這不是密室，而是時空轉運站。」

「怎麼說？」

「你看，鏡子頂端有標示呀！」

「哦，太好了。」

「終於有點線索了。你說對不對啊，以行？」

可是，以行完全聽不到旅伴的話。

「以行，你看到了嗎？」

「以行——」稚盈叫魂似的大聲提醒著。

「啊？」

以行呆愣了一下。

然後，無意識地，甩了甩頭，才看到自己和旅伴，都在大鏡廳裡。

「門上有標示啦！」稚盈挺刻意地，提醒著。

「喔！」

緩緩地，以行轉醒。

阿光驚覺以行的異狀，就拍了一下他的肩膀，關心的直問著：「怎麼啦？」

以行沒有回答。

不過，他有意識的轉著身子，望向鏡子頂端，小聲叨唸著標示牌：「曉門、淼門、極門、塵門。」

然後，自我警醒的暗問著：「怎麼會這樣呢？」

「剛剛，我的雙眼，被矇蔽了嗎？」

他處在自我困惑與自我懷疑的時空裡，無比落寞地，默默無語。

****

空空蕩蕩的轉運站，有四個出口，恰好把旅人逼上不知何去何從的十字路口。此時此刻，看來根本就是哪裡都可以，又像似哪裡都不可以。旅人困在茫然無從的窘境中。

「現在，往哪兒走？」

稚盈搖了搖頭。

「怎麼辦呢？」

「只能試試看囉！」

以行帶著曾被騙過的經驗，又生發出一種願望，想走出去，想再試一試，走出空空盪盪的轉運站，走出不知何去何從的膠著狀態，找到正確的路，繼續邁上時空旅程。

他告訴自己，一定有路可走。

他沒多說話，就帶著一種不確定性的謹慎，極為緩慢地，移動著微微抖顫的腿，一步一步，小心翼翼地，趨近塵門。

可就在他跨過一條看不見的無形線後，塵門就像所有的自動門一般，不費吹灰之力，自動開啟了。

「門開了。」旅人驚喜的叫了出來。

以行，難以置信地，杵在原地，呆愣了一會兒，喃喃自語著：「就這樣，簡簡單單。」

「剛才，蠢呀！真蠢呀！」

原來，旅人處在時空轉運站，需要多些理性觀察，看清事實，就會沒事了。走在十字路口，要是過度耽溺於情緒，感受時空，就會多了臆想，編演出迷幻自我的戲碼，自找麻煩；要是多了編造，就會編出綑綁自己的鎖鏈，自找苦吃。

於是，他不禁多了一絲難以覺察的悔恨，懊惱著，「何苦自己嚇自己！」

*****

塵門外，連接著透明空橋，綿延數百尺。

空橋外，是一大片綠油油的草地，還有，隨處生長著幾棵不起眼的小樹，長得不高，葉片也不怎麼茂密，只感覺空橋和草地和樹的枝枒和樹的葉片和樹的樣子，本來就是應該這樣子，沒有爭執，沒有騷動，沒有對錯，沒有疑問，就是這樣相處在一起，成為塵門外該有的樣子。

可是，旅人走出塵門，就在多看了幾眼那幾棵不起眼的小樹時，畢竟，又自自然然的看出了某些關聯，看到了綠油油的草地中，還零零落落的鋪設了一片片會反光的石板塊；那幾棵不起眼的小樹，似乎天成了某種路標，若有似無的標出

了某個有意義的方向，遙指了遠方目標的存在。

也就是說，旅人的想像力，造出了有意義的夢境來了。

這時，淡淡的花香，隨風飄送過來，旅人感到舒服歡暢極了。

「好遼闊的草坪。」

「這些盛開的野花，紫紫黃黃一大片，挺漂亮。」

「那一塊塊黑金石板，綿延成石板小徑了。」

旅人的眼光，就這樣順著引不起注意的小樹，看見了綠草地上的黑金石板，看見了蜿蜒小徑，然後，就隨著自己的意念，看見了小山丘，攀爬上小山丘。而且，就在毫無意謂，恰似巧合般，望向更遠處，看見了數個饅頭般的山丘頭，綿延成墨綠山脈，看見了三座小亭子，分別錯立在不同山丘的小聚落中。

旅人東看西看，然後，收攏視線，看向山坳處。那兒，有兩座墳場，坐落著一座座更小的饅頭式墳墓。

「真的好遼闊喔！」

「寂靜無聲的原野。」

這時，遼闊的野地，寂靜的原野，似乎吸收了旅人的意念波動，產生了連結力量，為以行開啟了不同凡響的聽力，活了起來。

他聽到了一種木頭在風中唧唧作響和沉靜規律的濺水聲，了了分明。

他聆聽著。

他聽到寂靜野地裡，風在低吟。

風的低吟中，夾送著綠草的呢喃、葉梢的輕撫、花兒的輕彈、落葉的飄落與草籽的飛翔。

那些聲音，來自遺忘與記起之間的遙遠飄渺記憶，無所不在。突然，以行察覺到綿延震波，一波接一波，從紫花叢後面傳導過來。

他清晰無比的覺察到大野兔一蹦一跳的震波，傳導到大地綠草，傳導到小樹，傳導到黑金石板，再傳導到以行的身體，讓他剎時擁有一種與紫花叢、野兔、大地、小樹、綠草和石板塊之間，合而為一的整體感，沒了渺小的自我存在。

一體感的存在，真是簡單到不能再簡單，就這樣發生了。

同時，阿光看著無垠綿延的綠草地，突然，想起了什麼似的，出聲問起：「接待員呢？」

沒想到，話音一起，以行一聽，他與大自然的整體感，剎時，被干擾，被打斷，

消逝無蹤；簡單到不能再簡單的一體感，剎時，消逝無蹤。

一體感，消逝在意念波動中，無跡無蹤；剎時，來自空的有，似乎不在了。

然後，他帶著某種驚心與失落感，回答著：「不見人影啊！」

「怎麼會這樣。」

「接待員會來接我們，不是嗎？」

「是啊，宇宙探發局會派人來接。」

「或許，我們走錯了門。」

「那麼，先往回走，試試看，好嗎？」

「先這樣囉！」

*****

旅人們，回到大鏡廳，一個人影也沒有。他們就自自然然的，移動到淼門前。

淼門外的天空，灰濛濛的像要下雨；可沒有雨，沒有風，沒有閒雲。

有一座大湖，水氣朦朧，湖面折射著暗光。在渺渺茫茫的大湖中，航行的輪船，看來就像靜止在湖中央，一動也不動。

湖上有三兩隻水鳥，低低盤旋，偶而依稀還能聽到模糊的鳴叫聲。

順著湖面看過去，遠處的碼頭，有人在走動。稍遠處的暗灰樹林中，有一片空地，空地上燃著一堆營火，水霧中依稀可見到火光照著四五個大小不一的人。看得更遠時，就是守護湖泊的嶙峋石頭山了。

「那座深山裡，會不會住著石巨人？」

「別多說了，那會有點嚇人耶！」

「一切看起來都渺渺茫茫不清晰。」

「遠方丁點大的人，看起來好渺小喔！」

「而且，要搭遊輪，才渡得了這座大湖。」

「該怎麼辦呢？」

「出錯了門，肯定會是天差地遠囉！」

「這樣子，很容易迷路，誤上歧途。」

旅人們，你一言，我一語，時間靜靜流逝。而原本盤旋在山頭、林子裡的薄霧，就像旅人心頭上的擔心和憂慮，沒有預期的，凝聚了起來，成了鉛灰濃霧，乘著看不見的風，迅速的攻向湖面來了。

原本反光的大湖，這下子，看起來像似蒙上一層厚厚的油漬，閃著黯沉油光，而那湖面上的遊輪，斜斜的隱沒入黯沉油光中。這時，遠遠望去，似乎有一隻水鳥，死命拍動著黏滿油污的大翅膀，從即將沉沒的遊輪甲板上，奮力飛離，企圖逃命而去。

沒多久，濃霧完完全全攻佔了整座大湖，矇去了旅人的視線，也悶住了湖水的拍岸聲。

這樣的時空旅程，真是渺渺茫茫，看不清。

淼門外，遁入模模糊糊的空茫狀態，漸漸地，空茫吞掉了石頭山、樹林、火光、人、大湖、郵輪……旅人看向近身的碼頭邊，徒留幾根木樁，看來老舊腐朽。木頭上塗滿墨綠黏答答的汙泥，飄散出令人噁心的腥臭味。湖岸看來竟是一片荒蕪，連眼前的樹株，也褪去了該有的本色，變成灰黑的枝桿，罩著一頂頂黑帳子，樹枝不搖曳，有如枯死了一般。

淼門外的小路，在濃霧的侵占覆蓋下，但見一片灰黑光禿的矮樹叢，張著枯骨似的枝枒，死氣沉沉的柱立著，沒有動靜。

旅人小心翼翼的立在小路中央，不自覺的彼此緊靠身軀，費勁的往濃霧裡看去，還不時用冰涼的手指，潑去凝結在眉毛上的水珠，帶著渺茫的希望，討論著。

「怎麼連一點訊息都沒有？難道，接待員出錯了？」

「不至於吧！」

「在這兒多待些時候，搞不好連我們都會被濃霧吞沒，不見了。」

「你別嚇人好嗎？」

「或許，我們出錯了門，走錯了路。」

「或許，接待員已在大鏡廳，等我們。」

「那麼，先回去吧！」

於是，旅人返身奔回大鏡廳。

*****

可是，大鏡廳仍是空空蕩蕩，見不到半個人，連個鬼影子也沒有。

到底是怎麼了？

真是難以理解，無從知曉。

旅人在時空轉運站進進出出，幾番折騰，仍陷入膠著的困境，不禁對時空旅

程的不可預測和不確定性，添了徬徨和無助；對詭譎萬變的旅程，升起焦慮；對陌生時空，所帶來的迷茫，多了擔憂和小心；因而，生起一種掉入迷宮裡的挫折與自我掙扎。

「曉門會是如何呢？」

「它會連向宇宙探發局嗎？」

「宇宙探發局，到底在哪兒？」

「或許，宇宙探發局，只在日出破曉處。」

「或在即將破曉，卻未破曉的高維度時空裡。」

「看了，不就知曉。」

「就怕看了，未必曉得！」

大鏡廳，仍然沒有其他人。

也因為這樣，此時此刻的大鏡廳，似乎釋放出更多令人徬徨、焦慮和挫折的負向意念，重重地，襲擊旅人。

旅人百般無助，不知何去何從。

突然，一個模糊的聲音，彷彿穿越空橋，穿透鏡面，由遠而近，波動著過來。

旅人豎耳聆聽，越來越近的模糊聲音。

那聲音，走著單調無趣的調子，傳送出某種像似牙牙學語時，曾經灑落在深層記憶，早已遺忘的話音，攜帶著歷經滄桑而有的喑啞質素，流露出某種吃力感及抗拒情緒。

那語音，游離著跨語言間的音質，存有著某種相似話音，卻又背離了語音該有的堅持與精準；更準確來說，這聲音，讓旅人直覺挺怪異，無法認同；挺陌生，難以辨認；不知不覺中，就抗拒起這一串單調無趣的音波，鄙夷了這些缺乏意義的話語。

可是，旅人陷在時空轉運站，萬般無助，不知何去何從。

只能聽著。

聽著無趣無謂的聲波。

可是，任何一種聲波，不論是竹節蟲的呼救聲，絕美的樂音，銀髮老媼的打招呼，破蕚花開的微細音絲，友誼的呼喚聲，銅鼎的鏗鏘聲……，都自有它的能量，能波動起難以忽視的力量。因此，一串狀似無意義的聲波，就這樣，就這樣撼動了時空轉運站的氛圍，擾亂旅人的心緒，開啟了人性之鑰，接引旅人，進入

語言的異世界。

或者，語言本身，亮出了武器，挾持了旅人。他們就是沒有辦法，全然地，置之度外。

旅人受到聲音的波及、穿透、轉化、聯動下，連結上自我的經驗和失落的記憶。於是，那串狀似無意義的聲音，就為旅人連結了夢想碎裂的地方，填補了思維記憶的縫隙，搭造了真實與幻想世界的交流之橋，成了有溫度、有關係的呼喚；成了具有熟悉感的叫喚。

無論是誰，逃不開，躲不了，此聲波的神祕召喚。

那聲音，召喚著旅人，不由自主地，連結上自身記憶，化成某種能溝通的聲波能量，化成偏狹的經驗，熟知的言語；旅人，不由自主地，回應了聲音。

於是，不約而同地，閉上嘴巴。

那聲音，穿透了時空的境域，超越了語言的藩籬，消融了理性的堅持，擴大了理解的框架，呼喚了旅人的意念，很有默契地，移動肉體，趨向極門，側耳傾聽。原來，那聲音在不變的基調下，一遍遍模模糊糊的重複著：「捅智零、賭光、陳一刑。」

這時，旅人在聲音的聯動下，不知不覺中，拓展了對聲音與文字的想像，存有著不同往昔的看見。

可是，這個發現，就文字本身來說，似乎說著：「零等於壹，壹等於零，黑是白，白是黑。」

「荒謬啊！」阿光不禁大聲嚷著。

旅人興起不安的自我衝突感。

衝突晃蕩不已。

然而，時間滴答滴答，無聲地走著，滴答滴答，無息地流逝，旅人只能聽著，聽著切身的呼喚，聽著唯一牽繫時空旅程的希望之聲。

只能聽著。

聽啊聽，旅人就聽到了，在那聲音中，竟然，含藏著無法漠視的綿延波動，嗚～喔～嗡～嗚，嘿～喔～嗡～嗚，一片轟鳴。

一片轟鳴中，一波波綿綿延延的聲波浪潮，穿越時空，波擊在旅人心頭，生發了某種和諧和壯麗的共鳴，穿梭心靈與心靈間，波動出屬於聲音本質的溝通；那兒，沒有母語，沒有鄉音，沒有外來語，沒有異星語的分歧，只是單單純純的

聲波。

只是聲波。

於是，無需辯論，無需思考，聲波就是訊息，就是溝通，就是力量。

旅人們你看我，我看你，然後，帶著笑意的眼神說：「來了。」

「終於來了。」

「接待員來領路啦！」

旅人終於盼到接待員了。

他們放下了焦慮不安，滿足了預期的渴望，雀躍的迎向聲音的來處。可是，當極門開啟時，旅人和接待員一打個照面，無法避免地，彼此還是錯愕地，呆愣一下。

接待員急急忙忙，低下頭，瞇起鬆弛無力的眼皮，盯看手中資料，並從喉頭翻滾出一串沙啞的聲音，穿過了會漏風的牙縫，含糊不清的，爆擠出擔心被他遺忘的名字，聽起來像似：「懂滯伶、豬框、蠢義行。」

「天啊？」

名字是被祝福，被呼喚，被高度認同的符碼，怎能容得當面如此亂喊亂叫，怎能容得如此無禮的狠刺猛刮！

旅人脆弱的大腦神經有機體，剎時，翻了臉；自以為是的習性，轉瞬，不認帳。

「說什麼？」

「蠢喔！」

瞬間，旅人波動起憤怒的意念。

意念，像一顆投向意識海的小石子，迅速波擊出大漣漪，不停地釋放出一個個訊息，掙扎著欲要捍衛尊嚴或漠視鄙夷，要對或錯，要解決問題或製造問題，要和諧或爭執，要硬頸或孬種，要怒目張揚或處之泰然……，糾葛不停。

阿光像似被甩了一記大耳光，撩撥起被羞辱而來的不悅，而抗拒，而排斥。

稚盈曾有那麼一下下，覺得拚死拚活的打磨記憶力，全力準備，還得了極高分的多益肯定，根本就是沒有意義的事；語文測驗掙得的高分，不再是對的事，不再是好事了；有那麼一下下，甚至又懷疑，沒了好成績的肯定後，自己會不會變得一文不值。

可是，在如此糾結的時刻裡，前往宇宙探發局的旅程，無論如何，得依賴接

待員的引領，得依靠著看來實在不怎麼樣的他，才能持續追夢，才能往前行。

要命啊！

真要命。

到底要忍，還是，不忍？

令人挫敗！

阿光忍不住，垂下頭來。一邊對旅人擠眉弄眼，轉化發飆的意念，一邊閃躲可能被發現，而忤逆到時空旅行的進程，最後，還壓成喉音，小聲嘮叨，「開什麼玩笑！說的真歪！」

以行一聽，興起強烈的自我壓抑和自我警惕，說：「別忘了，這是時空旅程，放輕鬆，免得迷路。」

雖然，稚盈也有自我衝突，不過，有了以行的提醒，就快快地，冷靜下來，展現了出離情境，跳脫時空的能耐，緊跟著說：「是啊，放輕鬆，別莽撞。有了聲波，就有了語言，不需要正語字典。」

「我們不需要正語字典？」

「嗯，不需要。」

「還有可能，正語字典是多餘。」

「那麼，翻一翻辭海，飛濺出一些詞語浪花，總可以吧！這樣子，是不是更有看頭。」阿光把不便發洩的怒氣，藉著一串長長的話語，轉移話題，掙脫情緒困境。

「愛現！」稚盈難免輕責一下。

「在時空旅行裡，可能連辭海，也是多餘，也可丟到一旁去。」以行無奈地說。

「真要命。不過，這老頭真的是領路人嗎？」

「應該是吧！」

旅人回想起時空轉運站外的曉門、淼門和塵門時空，傲氣少了些，擔憂又多了些。

「我們會不會錯入時空？」

「錯入時空？」沒想到，以行剎時像似被什麼打到，繃緊著神經說：「現在，還不是轉身的時候，是嗎？」

「啊？」阿光怎麼想，也想不到以行會聽成這樣子，就立即辯解：「誰說要轉身了？我可沒說喔！」然後，微蹙了眉頭，又說：「不過，他確實領著我們，

進入錯字時空啦！」

「又來了！」

「在聲光資訊中，我們也常用活跳跳的錯字，『粉』輕盈的穿梭異次元，還得到一大票鐵粉的青睞，直叫『水』啦，拚命按讚，不是嗎？」

「也是啦，免費停車，換個地方，就叫無料送迎；情爆員總比情報員，更能讓人噴笑。」

「字是老祖宗，無中生有，約定成俗罷了。現在，這老頭子，只是把既定成俗的文字符號，兜著玩罷了！」

「沒什麼大不了！」

「或許，乘著聲波，更能進入文字時空，攀上萬年岩洞，覓到獨一無二的文字原鄉，回歸本質咧！」

「別太在意！」

「說的也是，被咬了一口的蘋果，不全是毒蘋果啦！」

「嗯，還是令人垂涎的物件哩！」

「或許，根本就沒有錯字這回事。」

「或許，有的只是自以為是，只是偏狹執念罷了！」

這下子，旅人因為時空旅程的膠著與困頓，被迫剝奪了，考試卷上那種斤斤計較，那種擇善固執的瑣細心眼。這下子，因為老得不能再老的接待員的話語聲波，被迫改變了心態，去看待此字彼字間，有關於對錯高低美醜的界限，破除了該不該好不好妙不妙的框架，因而擴大了思維的時空，因而了解到千萬年來，人類賴以維繫彼此的語言，用了數千年的文字，只是在溝通、表達、辯論和不斷行動的重複使用下，虛擬建構出來的龐大價值體系。

說白了，語言文字和那些可以架成橋梁，堆成穀倉，砌成長城，蓋成城堡、廟宇、宮殿和高樓大廈的枯草、泥土、糞便、磚塊、木材、石子、水泥、碳纖維、鋼條和金子等大大小小的物件，沒什麼兩樣，都只是東西，只是意識的延伸物。

或許，此時此刻，旅人無法全然理解這一連串不合情理的情境，不過，他們終究被淬鍊出童心童趣，磨亮了觀看世界的眼抹，終究理解到語言文字在時空中，會衰老汰舊，也會長出新生命。

說到底，語言文字，只是工具，只是會灰飛煙滅的物質罷了。

這下子，旅人真的有了絕頂重要的轉化，他們真得踏上時空旅程了。

*****

不過話說回來，唯有時空旅人，才能看見平凡事件和微細事物中，所隱藏的奇異質素。唯有時空戰士，才能在旅程中，提取一個又一個奇異微小質素，催化自己的生命旅程。

這些個小東西，就像旅人孰悉到不行的名字，通過旅伴的聲音、話語、想像、思維和感受等交互運作下，不時地，閃爍出奇異小光點，賜予旅人不同的體驗與看見。

而且，小光點，雖閃爍不定，剎那飛逝，卻帶著某種看不見的力量，激發了旅人的大腦神經觸突的增生，改變了神經迴路的連結，添增了創意理解和溝通能力，催化了戰士的意識醒覺，向著真正的時空旅程，行去。

唯有意識的覺醒，才能走一趟真實的時空旅程。

而且，旅人就從那些個平凡事物和當下有所感應的一個個小光點開始，在交頭接耳中，在暗自叨叨絮絮中，在聊天議論中，點點滴滴的連成了一線天光，顯現出原本被遮掩、被漠視、被壓抑或被揚棄下，不准見光的複聲疊影來了。

這些天光似的複聲疊影，就像悄悄話般，從旅人的眼神，愉悅的滲漏了出來。

因此，當旅人親眼目睹著接待員那副意想不到的慌張神情，搭配著慢半拍的堅持樣，還伴隨著某種力不從心的抖顫時，倒也有了一番不同往昔的領會，而被逗笑了出來。

他們很快地放下焦慮不安、懷疑、困惑、氣憤和主客關係，而一派輕鬆的契入當下時空，活在當下。

活入當下。

「還好，有你來接。」

「你是誰？由我來接！」

「啊？」

旅人，難免稍稍錯愕一下。然後，隨即跳出人際互動的常態，不同尋常的，直接提出假設問題，尬起話來。

「你不來接，誰接我們？」

「我不來接，誰接你們？」

接待員似乎一下子反應不過來，舉手搔腦，認真地想著。

滯悶的氣氛，蔓延著。

旅人對高來高去的尬話，玩出興致，不禁自以為是地，催促起來，「你說呢？」

「你說呢？」接待員的反應，像似腦袋瓜老朽當機，又像似裝傻，玩弄小毛頭。

旅人直覺好笑，又好玩。可是，他們也一派認真地，順境因應，「我們不知道。」

「你們不知道？」

「不知道。」

霎時，接待員那雙老眼，看來狀似混濁昏花，不堪使用，卻又投射出神光來；昏花老眼，看似困惑，卻又像穿透事物般，瞅著旅人們，瞧了又瞧，才說：「不知道，就別說了。」然後，接待員走進時空轉運站，東張西望，左思右想，找尋著。

時空戰士閃開，閒立一旁，好奇地看著他東張西望，又各自揣想著：

「他是接待員嗎？」

「宇宙探發局的人，不都是很行嗎？」

「他真的要來接人嗎？」

這時，接待員確定沒有其他人，又慎重的看了看手中資料，然後說：「不接你們，接誰？」

「看來，你要接我們。」

「我要接你們？」

「嗯，你要接我們。」

「我要接你們——，那就報上名來。」

接待員忙著翻閱手中資料。

「朱光。」

「賭況，有。」

「陳以行。」

「真異形，有。」

「童稚盈。」

「同志營，有。」

於是，接待員在手中資料上打卡，順利接到時空旅人，輕呼了一口氣。

然而，旅人呢？

他們從出發到此的旅程，倒像是攀爬到一座暗黑的岩洞裡，看不見洞內的景象，也想像不出洞內該有的樣子，只能憑著感覺，將身體緊靠冷潮濕滑的岩壁，一邊要抓緊腳下滑溜的腳步，一邊還得伸出另一隻腳來，暗中摸索探究，找尋下一個墊腳石，避免一不小心就跌落坑洞，拐傷了腳踝，撞斷了腿骨，慟徹心扉。

還好，旅人踏穩了步伐，出了岩洞，就會有不同的想像和視野，繼續時空旅行啦！

07

時空戲的秘密

不知道，就別說了。

接待員帶領著時空戰士，走出極門，通過空橋，進入原始綠林。

多重滿溢的綠意，洗滌、溼潤了老愛遊走聲光視窗的眼睛。粗粗壯壯的樹幹，住了許多青苔和苔蘚聚落，顯得盎然勃發。清涼濕潤的風兒，穿梭林間，飽藏著芬多精的清新，溜入旅人的鼻孔和胸腔，真是快意極了。

一行人前前後後，走啊走，沿路上蟬鳴不歇，松鼠飛跳，獼猴擺盪，自在的活躍在綠林中，絲毫不受旅人到訪的干擾，也毫無興趣多看旅人一眼。

可沒多久，原始綠林似乎靜了下來，風兒不吹，葉兒不搖了。

一切模糊了起來。

可那模糊，不是一般定義下的模糊。

那模糊，像似無數無數的小點點，正從一種雜亂無序的狀態，彼此吸附，聚合而成了飛蛾，水滴，知了，樹株，葉脈，松鼠，苔蘚，花兒，陽光……

可又不只是這樣啊！

因為，那無數無數的小點點，也正從陽光，花兒，苔蘚，松鼠，葉脈，樹株，知了，水滴，飛蛾……，全糊成一片細細小小的點點；又從一種井然有序的狀態，在持續的彼此吸附中，變得雜亂無序，分不清誰是光，誰是葉，誰是飛蛾，誰是水滴；分不清誰是誰來了。

同時，旅人能夠清晰的聽聞到，原始綠林裡，充滿著各式各樣，極度微細的聲音，就連自己腳下的濕爛落葉，也唏嘍作響，了了分明，不停的移動，化入泥土中。

稚盈眨了眨眼睛，然後，舉頭望向樹梢。那兒，有幾縷陽光，正從樹梢上的高空，撒落下來，穿梭林木葉片；陽光的波線，活生生的彈跳，碎裂，折斷，在林木樹葉間，穿行。

以行刻意用力地，眨一下雙眼，再看看周遭；還好，一切不再模糊了。

他凝神注目，問接待員：「宇宙探發局在哪兒？」

接待員慢吞吞地，像要接話，又像不接話，讓人摸不清他有沒有聽到？聽清

楚了沒？要不要回答？

到底要不要回答？

旅人看著要動不動，沒有多餘表情的老臉，猜著；盯著像似微微抽搐的乾唇，等著。

剎那間，沒有形容，沒有添油加醋，沒有聲調，沒有多餘表情和畫面，話聲開啟：「這兒。」

「這兒？」

「哪兒？」

接待員開啟的對話，像在打啞謎，旅人東張西望，滿眼望去，竟是綠林，沒有任何建築物啊！

於是，旅人只能前前後後，安安靜靜地，走在原始綠林中，聞著綠林的潮濕氣息，看著蒼勁老樹、獼猴、巨嘴鴨、樹蛙、彩虹鳥等東西，沒把自己看在眼裡，不理睬自己，漠視著自己的存在，感到一種虛無的挫折。他們靜默地，繞過綠林廊道，踏上雜林曲徑，踩過吸飽雨水的落葉，啾——好大一聲，像是踩到某種活物般地，濺出帶有腐臭味的髒水，噴了一身，摧折旅人自以為是的傲氣，打磨著旅人的靈魂。

同時，在某些隱匿處的探測器，毫不停歇地，掃描著旅人，繞行過一大片沼氣瀰漫的林區，來到略顯陰暗的地方，停了下來，走入樹中。

不見了。

*****

然而，細說到底，旅人來到略顯陰暗的地方，停了下來。眼前，正是一棵巨大的麵包樹。整棵樹，不僅奮力地開張著大闊葉，還有苔蘚、藤蔓、蕨類、鳥窩、蜂窩等，熱熱鬧鬧地，共處共生著。

附近，有一隻大黃蜂，在旅人的身邊，飛來飛去，在頭頂上，盤旋不去，像似嗞糞蒼蠅般，讓人覺得噁心和反感；它還在耳邊嗡嗡作響，像似在探測著什麼，監視著什麼，旅人不禁平白地，又生起警戒心來了。

「煩咧，走開。」

阿光揮了揮手掌，趨趕它，可這大黃蜂稍稍飛離，又在旅人身旁嗡嗡作響了起來。

「好壯觀的旅館樹喔！」稚盈仰頭讚賞。

接待員一聽，轉頭看了稚盈一眼，冷冷的說著：「不知道，就別說了。」

然後，他雙腳踩上一節高高突起的樹根上，一動也不動；雙眼盯看著蜜蜂窩，一瞬也不瞬。

「你在幹嘛？」阿光好奇地問著。

接待員仍然一動也不動，事不關己般的說著：「不知道，就別說了。」

阿光感到無趣，在他的背後，扮了一個鬼臉，吐了吐舌頭，然後，擺出一副莫可奈何的淘氣樣。

大黃蜂，仍嗡嗡作響著。

以行微仰著頭，觀察著周遭的一切，不禁暗想著：「這蜜蜂窩怎麼啦？」

剎時，有一道紅光掃過接待員的眼前，大旅館樹下方，低垂的枝幹、苔蘚、藤蔓、蕨類、鳥窩等，自動移開。

一道銀灰色鋁合金大門，就從地底直升上來，出現在旅人眼前。

宇宙探發局，狀似插種在原始綠林，埋藏在深深的地心裡，和綠林，和大地，融合為一體。

旅人驚訝極了！

「哈，變魔術啊！」

「好個包假亂真的蜂窩。」

「豈止蜂窩，你摸摸看，這些東西，真真假假，都是真耶！」

可接待員緩慢地，搖了搖，有點歪擺在肩上的頭，發出一把老骨頭的喀喀聲，又說：「不知道，就別說了。」

不知道，就別說了！

時空旅人，一次又一次，像被打槍，挨了耳光，丟了尊嚴，丟了自信，你看我，我看你，腦袋裡竄起洪荒亂流，轟轟作響了一陣子，然後，有了無知感，晃搖了堅持；一次又一次，像被噤聲噤語，丟了字詞，丟了聲音，又生發出對未知的期待種子，緊緊的，閉起嘴巴來。

接待員面對著堅實的鋁合金大門，舉起左手，張開指頭，在門側進行指紋辨識時，出乎預料，沒頭沒尾，以一種難以被人理解的煩亂，說：「這些東西，真真假假，都是假啦！」

「假的？」稚盈驚呼一聲。

然後，她環視了周遭一切，一眨眼間，眼前所見，蜂窩不再是蜂窩，麵包樹不再是麵包樹，那麼，堅實的鋁合金大門，下一秒鐘，又會是什麼呢？

這樣子，難道不假嗎？

而且，信不信由你，接待員不多說什麼。

旅人也只能無聲的，張大了緊閉的嘴巴，真不知該說什麼才好！

真的不知道該說什麼，只能羞愧的無聲嘆息，又閉起嘴巴，靜默無語。

然後，鋁合金大門開啟。

一位少女，綁著紮實的馬尾，英氣逼人的從光亮無比的長廊口，迎了出來。

「謝謝你，衲伯。」

「交給妳了。」

「嗯。」

「走啦！」

「好。」

他沒有多說一句話，沒多看旅人一眼，也沒進到宇宙探發局，一轉身，就離去。

稚盈不禁回首，看著納伯離去的佝僂背影，像似長歪的千年老樹，緩緩移動；像似黑影子，無聲的沒入原始綠林，消失不見。同時，她想著好不容易多個旅伴，聊了幾句話，就又錯身而去。

在短短的萍水相逢中，旅人莫名其妙的，多了點惆悵心情。

「這樣子，就走了。」

「走啦！」

「那我們呢？」

「到達宇宙探發局了。」

「而且，沒有迷路。這還要問嗎？」

「怎麼會這樣？」

「不然，要怎樣？」

「我們像似被移交了過來。」

旅人不禁納悶，時空旅程，真是變化多端，難以預測。不過，戰士也升起暖暖的感恩，謝謝納伯的接待和引領，順利地，從時空轉運站，到達只曾聽聞，不曾目睹的宇宙探發局了。

「時空行者，你們好！」

「妳好！」

「我是筱真，歡迎來到宇宙探發局。」她口齒清晰，無比清脆的說著。

「她叫筱真啊！」以行無聲的說著。

暗地裡，他小心的凝視起那陌生的身影；心，輕微地，抽動了一下，一道電流激射而出。瞬間，他對眼前絕然陌生的少女，有一種似曾相識的感覺，進而對此偶然的相遇，生起了一份小確幸，竊喜不已！

默默地，阿光也在心中打量。

他直覺少女把她那十來歲的內心森林，上了一道厚重的大鎖，隔絕了青春年華，掩埋了躍動韶光，成了格格不入的女孩。

他胡思亂想起來。

「她是宇宙探發局的人嗎？」

「是呀，剛不是說啦？！」

「她是地球人嗎？」

「不然咧？」

「你到底在胡思亂想什麼？」以行用手肘輕撞阿光一下，低聲低語的探問著。

「這樣子，算什麼呢？」阿光仍困惑的自顧自咕噥不停。

「你打啥啞謎？我都聽不懂。」稚盈湊近阿光身旁，埋下頭來，咬起耳朵。

阿光回神似的，瞧了瞧周遭，又低聲抱怨，「不是太老，就是太小，難道沒人啦！」

「太小？」

「宇宙探發局，總該有點學問吧！怎麼會是她！」

「哼，你瞧不起人！」稚盈一聽，反感極了。

「人不可貌相，海水不可斗量。」以行帶著輕責的聲音，護衛著那份心底抽動的感覺。

可阿光止不住心中的猜疑和不滿，又說：「還有，難道我們是東西喔！」

「我們是東西？」稚盈萬分驚訝的叫了出來。

可不期然地，她馬上聯想到此時的自己，確實像「東西」一樣，被移交到筱真手上了。

難道，旅人只是東西？

稚盈的理智和信念，不會讓她在此多想，又低聲問著：「衲伯為什麼不進來？」

「不知道耶！」以行東張西望，帶著輕微的不安感，隨口應了一聲。

「他只是送貨員。」阿光無奈的回答著。

「送貨？」

這話，聽在稚盈的耳裡，真是刺耳。於是，她不由自主地瞪了阿光一眼，騷動起忐忑不安的情緒，又傻里傻氣的問著：「他去了哪裡？」

「誰啊？」

「衲伯啊！」

「回到他來的地方啦！」

以行搖了搖頭，無意識地回頭望去，尋著衲伯離去的背影。

旅人似乎被撩撥，被牽繫出縷縷飄忽的思維懸絲，對於剛才認識，卻又馬上錯身而去的旅伴，滋生了莫名的的牽掛。

換句話說，在這短暫萍聚中，衲伯的話語，似乎在旅人的心智模式中，投置了一場有感地震，晃動了旅人的腦袋，讓旅人在幽微的思維中，有了微妙的窺見，像瞥到了封印結界下，所覆藏的一方草紙上的纖維或墨染痕跡；讓旅人探觸到理性疆界以外的幽暗意識，那些屬於不可知不可探的東西。

而那跡痕，雖然不清不楚朦朦朧朧渾渾沌沌若有似無，卻實質的牽引著旅人，毫無目標的四處漫遊，老是撞見了難以預期的小小東西。

這些個小小東西，是他們在時空旅行之前，不曾想過，不曾聊過，不曾有過的經驗。而且，這些個小小東西，竟是一些理所當然中的迷離不解，是絕對陌生中的熟悉身影，是骯髒混亂中的美好細節，是七彩炫光中的一抹陰影，是腐葉爛泥中的綠苗嫩芽，是堅挺龐然巨物中的腐朽虛無細體，難以明辨出鮮明目的。

時空旅程，因而去了目標，失了目的，徒留一段段旅程而已。

旅程，沒了目的。

這時，筱真二話不說，俐落轉身，直接跨進宇宙探發局。

旅人見狀，連忙轉身，跟上腳步；腦袋裡，不知不覺的騷動著某種不合諧的念頭；身體裡，流竄著某種異質性的東西，夾雜著，莫名的抗拒和遲疑，跟隨著，堅毅穩定的少女腳步，繼續時空旅程。

鋁合金大門，隨即關上。

「走。」筱真簡潔直說。

「好啊！」以行雀躍著，緊跟於後。

可阿光帶著無奈與疑惑，邊走邊碎碎唸個不停：「走，就走。要不然，還能怎樣？」然後，又挺不服氣地說：「妳到底有什麼能耐，可以當我們的領路人？」

*****

光亮的長廊，串連起一棟棟宇宙探發研究所。

旅人們走在長廊上，好奇的讀著宇宙探發的研究主題：有太空飛船、植物苗株、隕石泥塵、星球礦石、氣流雲團、太空塵土、異空星系和零維時空等。

「好炫的主題。」

「新奇浩瀚的宇宙。」

「我們先到報到處，進行生物辨識，建立個人資料。」

「需要什麼樣的生物辨識呢？」

「一般的辨識手續。」

「例如呢？」

「例如指紋、臉部、虹膜和靜脈辨識。」筱真停下腳步，睜著清澈無比的眼睛，帶著少了暖度的語調，慎重地說，「還有其他疑問嗎？」

以行搖了搖頭，感到莫名的洩氣，沒了搭訕的興頭。

初來乍到的旅人，一完成了生物辨識和個人檔案，就忙著東看西瞧。可筱真沒多等待，也沒多說明，又說：「走吧！」然後，昂首闊步，熟門熟路，逕自往前趕去，從未回過頭來，看一看，旅人是否跟了上來；瞧一瞧，旅人在幹嘛？

而旅人們，雖然忙著加快步伐，忙著東張西望，也忙著嚼舌根，小聲議論著領路人。

「怪咖！」

「人小鬼大而已！」

「她是誰啊！」

「筱真。」

「哦，你記得可清楚！」

「別說風涼話，少胡扯。」

終於，筱真停在厚重的密閉室門前，站立片刻，等著旅人的隨後到達。

旅人們，很快的跟了上來。

可她二話不說，雙手一揮，又大喇喇地，進入燈光微弱的密閉室裡，根本不管隨後而到的旅人們，能不能及時跟了進來。

還好，緊隨於後的以行，伸長手臂，跨過她的頭，幫忙頂住了門，讓稚盈和阿光，能夠從門縫順利的閃了進來。

一入密閉室，筱真挺拔地站定在偌大的灰黑色調中，身體周遭散發著微弱光圈，英氣逼人地高舉手臂，凌空徒手觸控，操弄著浮空螢幕。

旅人們，屏息以待，盯看著浮空螢幕。

「她比稚盈還瘦小耶！」以行暗自思量著。

「為了省電嗎？」稚盈心底波動著一絲絲對密閉空間的不安感，暗自嘮叨著。

「浮空螢幕上，有九宮格。」

「哪是？」

「要不然，超大的多宮格，可以嗎？」

旅人們壓低著聲音，閒聊著眼前不斷變來變去的螢幕圖像。同時，慶幸著不會再被嗆：「不知道，就別說了。」

這時，平面多宮格拉扯旋轉，一時間，像似要轉成超大的立體方塊，然後，幻現出全鏡像，螺旋狀地轉了起來，轉啊轉，轉出了無限多個太陽銀河系，然後，轉出了無數量粒子波動不已。

阿光不明就裡，小聲地問著：「她在幹嘛？」

以行搖了搖頭，說：「先看吧！」

突然，一株光纖樹，出現在眾人眼前。

「哇啊！真神奇。」稚盈輕呼一聲。

旅人不約而同，後退一大步，目不轉睛的，注視著暗室中的光纖樹。

它立體迴旋轉動著，還不斷的變化異動，產生新的融合，讓人眼花撩亂，猜不準下一秒鐘會變出什麼來了。

更精確來說，這一路上，旅人們壓根兒就像劉姥姥進大觀園，處處充滿驚奇，也老是跌陷在不明的困惑時空中。

「這是宇宙探發局，精心模擬設立的宇宙生命樹。」

「好大的一棵樹喔！」

「活生生的樹啊！」

「是啊！這樣子，我們可以從生命樹上，窺探到宇宙間些許……」

「這一切的一切，變來變去，變不停，真是沒道理啊！」

「宇宙上的萬事萬物，在極為複雜的變因下，本來就是瞬息萬變，彼此牽扯，多方蔓延，隨處生發，相互效力；本來就是這樣。」筱真十分流暢地，道出了長長一串話，然後，稍停一下，大吸一口氣，又說：「怎麼會是沒道理呢？」

稚盈溜了溜大眼睛，驚嘆著這一番話，竟然出自一個看來比自己還小的少女口中。

「難道，你們不知道？還是，你們不相信。」

「沒道理呀！」

「有道理啊！」筱真皺了皺眉頭，流露出不知如何因應的困惑，喃喃說著。

她以少年老成般地眼神，注視旅人，又似乎陷溺在某種最曲折隱密的自我時空裡好一會兒。然後，她又昂首舉臂，凌空徒手觸控，操弄浮空螢幕。這時，密閉空間裡，輕微竄動著不可思議的異能量。

活生生的生命樹，戛然而止。

然後，光纖樹不見了。

密閉室，徒留一片虛空。

旅人瞠目結舌，呆愣了一會兒。

「沒了！」

「樹，沒了。」

「本來就沒樹啊！」

筱真洩露出一種自知之明的煩亂，喃喃自語著：「不知道，就別說了。」

天啊！

怎麼又是這句話呢？

不知道，就別說了！

旅人的耳朵，尖的很，聽得一清二楚，聽出了某種自我警告的意味，似乎說著：「我是一無所知。」

這旅程中的現實，真是比科幻還科幻。

旅人萬般驚訝，張口結舌的你看我，我看你，暗自想著，怎麼又是這句話，「不知道，就別說了。」

筱真沒再多說什麼，轉身就要走出密閉室，向前領路去了。

「就這樣？」

旅人對這不明不白、突如其來的變化，有了些許錯愕，仍呆立不動著。

「別發呆啊！」筱真提醒著：「跟我來。」

「幹嘛跟妳走呀！」阿光忍不住地，小聲抗議。

筱真走了幾步，難得地，緩了緩步子，發現旅人還沒跟上來，就回眸一笑，俏皮的催促著：「走吧！」

阿光故作驚訝狀，衝著以行說：「吼，原來她會笑喔！」

以行瞄了友伴一眼，冷冷地冒出一句：「可別迷了路，淪為時空吉普賽人。」

然後，他又不自覺地心馳神往，存在著某種內在騷動，而快步追上筱真。

一行人直接到艦橋，進行文化檢測了。

08

文化潛血脈

「首航行者，怎麼會連這種核心要務，都不知道！」

「怎麼會這樣？」

「哪裡出錯了？」

「這些人，真的是億萬中選一的最佳揀選者嗎？」

旅人們，跟著筱真走出昏暗的密閉空間，穿越了光亮無比，靜悄悄的長廊，轉了幾個彎，來到艦橋。

艦橋內，是個環狀圓形空間。

檢測員們，各就各位，忙碌著研究工作。

「時空行者到了。」筱真朗聲說著。

「歡迎歡迎。」

筱真對檢測小組，進行簡單會報，交差了事後，沒有絲毫猶豫，沒有絲毫留戀，毅然轉身離去。

以行敏感的，瞄了一眼，匆匆離去的嬌小背影，極為輕微的，波動著莫名的失落與思念，無語呆立。

可他不曾知道，自己曾有的輕波蕩漾。

「一路辛苦啦！請喫茶點、喝飲料，休息一下。」

旅人們，坐了下來，吃起現烤出爐的冰火菠蘿包，喝著狀似紅茶和桑葚混合而成的鴛鴦茶飲，好奇的閒看著周遭環境。

一臺臺高科技儀器，忙碌地運轉資訊，傳輸著數據，不時傳出一兩聲細碎聲音，凌空交錯，閃爍著紅、藍、綠光，讓時空旅人頗有出離真實生活，跌入異時空的錯覺。

當旅人吃飽喝足、稍作休息後，一小組人員向著他們走來。

「這是首航的檢測小組，我是關世英，我們要進行文化檢測囉！」

組員把裝戴儀器遞給旅人，協助旅人們就位後，就各自散開，忙著準備工作去了。

然後，若有似無的光柱被啟動了。

異能量籠罩。

剎時，旅人如臨深不可測的淵藪。

可是，時空梭旅行計畫，到底是一個什麼樣的龐大計畫呢？

時空戰士，知道的可真不多呀！

然而，誰不是這樣踏上旅程呢？

****

在艦橋裡，旅人帶著高度期待與憧憬，觀望著周遭的一切動靜，卻也免不了面臨著茫然、擔憂、陌生、困惑和無知感的衝擊。

以行幾度翻轉了手中的裝戴儀器後，神祕兮兮地，對著阿光咬起耳朵來。

「你知道這玩意兒，讓我想起什麼來了？」

「想起什麼？」阿光粗聲粗氣的反問著。

以行猶豫著，沒有回答。

稚盈發現了兩人的不對勁，側耳傾聽著。

至於阿光呢？

他卻從以行的欲言又止中，直覺的，起了不明的警戒心，直直追問起來。

「你到底想起什麼？」

以行無比慎重、字字清晰，卻小聲地道了出來：「緊箍圈。」

可話音一落，稚盈就睜大眼珠，尖聲質問：「美猴王的頭箍？」

以行無語，沉重的點了點頭。

瞬間，稚盈慌了，氛圍凝滯著。

她試圖壓下突然竄起的恐慌感，帶著質疑的否定，說：「不會吧！」

「但願我是錯了。」

以行無比挫折，扭捏不安。

他鬼鬼祟祟的溜了溜眼珠，然後，陰沉的說：「那還不是最慘的事……」

稚盈尾隨著他的眼光，看了過去。

「還有更慘的事嗎？」阿光直白的追問。

「最慘的是，還有一位關世英。」稚盈極為緩慢的說了出來。

可阿光卻驚慌失措的，尖叫一聲：「天啊！」

關主任一聽，好奇的抬起頭來，遙望著時空旅人。

旅人們，尷尬不已，迅速垂下頭來，噤聲不語。

然後，關主任站立起來，對著組員們環視一圈，就用挺有威嚴的聲音說：「要開始囉！」

「難道，他要開始施緊箍咒了嗎？」

「你別嚇人，好不好？」

「別胡思亂想啦！」

「小心就是了。」

「但願他只是救苦救難而已！」

旅人低著頭，彼此提醒著。

「戴好儀器，就定位置。」

「這——又幹嘛？」阿光帶著滿臉的疑惑，提防似的問著。

「檢測文化血脈啊！」關主任堅定卻溫和的回答著：「而且，有了衛星定位，才能確保時空行程，正確無誤。」

「行程正確，就不會迷航了。」以行低聲說著，像要告訴自己先穩住，別擔心；又像是期許時空旅行，會一路平安的抵達希望的夢鄉。然後，他刻意以平靜的口吻問：「為什麼是我們，不是別人？」

「什麼？」關主任摸不著頭緒，托一托掉在鼻樑上的老花眼鏡，認真問著。

「喔，我們可真是幸運呦！你說是不是？」阿光對著以行說著話中話，還不忘抬高下巴，揚一揚兩道橫眉。

可一時之間，關主任實在搞不懂，時空旅人到底在唱什麼戲？

「為什麼是我們搶到首航的免費票？」以行開天窗，說亮話。

「喔，原來你問的是這事啊！」關主任邊說邊思考著。

「是呀，首航的機會，只有一個，能搶到的機率，可真是微乎其微。為什麼是我們，不是他人，不是其他更厲害的人？」稚盈側著頭，睜著圓滾滾的大眼睛，死死地，盯著關主任質問。

關主任帶著濃厚興致，看了看時空旅人，緩緩地說：「你們搶票成功，確實是有原因。」

「有原因？」突如其來的，稚盈不得不大吃一驚。

以行豎直耳朵，就怕有哪個小閃失，漏掉了哪個信息，害了自己，也害了伙伴，就緊張兮兮地，追問著：「什麼原因呢？」

「年輕心靈啊！」

話音一落，得意之情，閃現在洋溢青春的肉體和表情上，然後，才有了多想的蠢問題，重複而出：「年輕心靈？」

「嗯，心靈的存在，不像物質世界的東西，那麼容易就被看得見。然而，在時空旅行中，心智粒子的波動，越是活潑，就越會有精彩的冒險旅程；越是精彩的冒險旅程，越能穿梭到高維度時空，觀察到旅程本該俱存的樣態。所以，我們追尋的就是年輕心靈。」

「原來是這樣啊！」

旅人大大的鬆了一口氣。

在宇宙探發局，一切的一切，對初來乍到的旅人，本來就無比陌生，就不時波動著新奇怪異和挑戰的元素，撩撥著未曾有過的敏感神經，也總像似張著一層薄紗，招搖著某種神祕的蠱惑，讓旅人不自覺地，掉入又愛又怕，欲拒還迎的漩渦裡，拉鋸著理性與感性的抉擇，擺盪著已知與未知的衝突，穿梭在小心翼翼又自以為是的思維和清明無為的直覺時空裡。

「我這樣站立一下子，它就會知道文化血脈，知道時空行程？」稚盈又問。

「知道。這個裝置儀器，是生命感應器。它是我們的科技之光，挺了不起。只要一下子功夫，就能夠讀出身體所承載的文化元素，……」

以行的心底，仍騷動著擔心與無知，無法同步契合關主任的聲波，可他又想搞清楚，搞懂它，滿臉困惑的問著：「身體？」

「你說的，就像稚盈的耳環嗎？」阿光邊說邊打量著稚盈，她正用手指頭撥弄著帶有濃厚民族風的大耳環，叮叮噹噹響。

關主任慎重的看了看稚盈的耳環後，才說：「人們所穿的、所用的、所吃的東西，確實會有文化性的偏好。至於，地球村裡，文化的混搭，也是常有的事。不過，深刻來說，身體裡藏著生命密碼，身體就是文化，……」

「嗯，這個我懂。」阿光說。

「哦？」

「就像義大利人說話，用了嘴巴，也用手來說話。泰國人打招呼，像在膜拜。」阿光邊說邊演著。

這時，稚盈頗有意思的，看了以行一眼。

以行心知肚明的想著：「還好，我錯了。」

可他沒說什麼，倒是認真地回應起阿光，掩飾自己，多餘不必要的情緒波動，轉移自我的焦點念頭，「哈，你也是用全身在說話啦！」

稚盈也沒說什麼，還湊起熱鬧來，「日本人習慣用彎腰來打招呼。沒彎腰，好像不夠禮貌似的。」

「喔，最令我不解的是法式……」沒想到，以行才一聊起來，阿光就做勢要逗弄稚盈，妄想玩一玩法式打招呼。

「少無聊了，阿光！」稚盈立即截斷阿光的蠢蠢欲動，擺出一副我才不上當的神情。

檢測員們，默默的操作著儀器，觀看著時空旅人的一時興起與忘我的胡鬧。好一陣子後，關主任才清清喉頭，「嗯——」了一聲，然後，正經八百的說：「這儀器能夠裡裡外外，掃描身體記憶，進行全方位檢測。而且，掃描的範疇，從外表看得到的動作，到內在看不到的記憶，都能完整的收集資料。」

「幹嘛要收集資料呢？」

「收集的資料，可以統整、判讀、歸納出每個人的文化潛血脈啊！」

「剛剛有掃描嗎？」

「有，已經啟動掃描了。不過別在意，就像剛才那樣，放輕鬆，做自己就好。」

「什麼叫文化潛血脈呢？」

「人啊，在文化醬缸中泡久了，肯定泡出文化醬味兒來。不知不覺地，就活出文化樣態，化成文化潛血脈，一代傳一代囉！」

「喔？」

「人啊，在華人圈中待久了，不知不覺地，會養成中式菜肴的胃口，期待中國年，愛上龍傳說，極度渴望圓滿，還可能選擇上無為而為的生命哲學。」

「那麼，華人的身體，就流動著華夏文化的潛血脈囉！」

關主任笑著，點了點頭。

「還有其他文化潛血脈嗎？」

「那可就不少喔！像原住民、埃及、瑪雅、印度等，各有各自的文化潛血脈。」

「文化潛血脈，要用什麼來辨別、區分呢？」

「這可就複雜囉！」

「能舉個例嗎？」

「各個文化，會有該族群獨特的生活方式、語言、節慶、神話、傳說、情緒、價值選擇和思考模式等。文化檢測，就從這些方面著手啦！」

「然後呢？」

「然後，就以文化潛血脈做為基礎，為每個旅人，量身打造出獨一無二的時空旅程啊！」

「獨一無二？」

「沒錯，獨一無二。」

「可是，我們搭乘同一航次吧！」

「沒錯，都是搭乘時空梭的首航呀！」

「好耶！」

「我們是同行旅伴。」

「這旅程的設計，聽起來挺複雜的。」

「嗯，這確實是一個高科技大工程。」

「準確度如何？」

「雖然不敢說百分百的準確，不過，它挺聰明，比你能想像得到的還要聰明。還有其它問題嗎？」

「全程要花多少時間？」

「這是智慧型時空梭，每次出任務時，它會根據時空旅人在旅程中的想法、觀點、身體情緒、情感反應和具體作為等，進行判斷、調整時程，好讓首航的任務，順利完成。」

不由自主，旅人的心，像似被「噹——」了一下，剎時，全身驚悸，有如晴天霹靂，被雷電劈擊。

「首航任務？」

「什麼任務？」

關主任瞪大眼睛，萬分訝異，暗想著：「這個時空戰士計畫，哪個環節出錯了？」然後，以挺刻意，挺強調的語氣，字正腔圓，清清楚楚，慢慢道來，「搶救神話。」

「啊！」以行、稚盈、阿光全瞪大眼睛，不約而同，驚叫而出，「搶救什麼？」

話音一落，關主任瞬間一陣驚心，心情滑落一大截，卻故作鎮定，簡潔俐落的回答，「神話。」

剎時，以行的腦袋，被「神話任務」炸得滿腦亂轟轟，劇烈波動著一串訊息。

「慘了！」

「這下子糟了，落入冠冕堂皇的天大謊言中。」

「難逃羅網啦！」

「慘了，真慘！」

可他的身體卻僵愣原地，無力反擊，無言以對。

「糟了，糟了，這下子，真的糟了。」阿光語無倫次，身子連連退了好幾步。

稚盈歪側著頭，把話語含在嘴裡，渾成一團，茫然地問，「真的，還是假的？」心底還止不住擔心，無聲地說：「難道，我們真的被騙了。」

關主任見狀，煩躁的輕鎖眉頭，連連暗問，「首航行者，怎麼會連這種核心要務，都不知道！」

「怎麼會這樣？」

「哪裡出錯了？」

「這些人，真的是億萬中選一的最佳揀選者嗎？」

同時，旅人繃緊神經，閃爍著飄忽的眼神，狀似無心犯了大錯，誤了大事的待宰羔羊，卻又閃示某種天不怕，地不怕，我是超級英雄的眼神，頑強地，窺視著周遭的人事物後，帶點勇敢的挑戰眼神，死死地，盯看靜默無語的關主任。

「神話任務，是文化傳承與建設的根本工程，是建造時空梭的終極目的，你們不知道嗎？」

「喔，時空梭啊，當然知道啦！」阿光表情誇張的打哈哈，掩飾著尷尬的心情。

爸爸的話，瞬間浮現在以行的腦海裡。

他皺了一下眉頭，暗自叨唸著：「這會不會太冒險？」

然後，他高聳雙肩，硬擠出一付難以置信，明知故問，「出任務，救神話？」來掩蓋住一時的慌亂與擔憂，然後，假裝成沒事樣，轉頭看向稚盈，探詢著：「你說呢？」

「第一次聽到。」稚盈聳著肩膀，張開雙臂，坦然承認了。

「要不然，你們以為什麼？」關主任冷靜地問著。

「當然是穿梭時空，去旅行啊！」三人異口同聲說著。

「難道，不是這樣嗎？」以行追問著，以求進一步的確認。

無論如何，他不禁擔憂起來，此番的上網搶攻、誤打誤撞的時空旅行，會不會讓自己和友伴，誤上賊船？

＊＊＊＊＊

「沒錯，時空旅程是旅行，更是一種時空遊戲！」

「時空遊戲？」旅人似懂非懂的說著。

不過，既然是遊戲，就能讓旅人鬆了一口氣。

於是，阿光說：「遊戲這玩意兒，我們熟悉得很！」

關主任瞇起眼睛，瞧了瞧阿光，才說：「想必也是。這世界本來就是人們想出來的遊戲。現在，就來玩玩時空戲吧！」

「時空戲？」稚盈直覺的質疑著，在他那抹笑談時空遊戲的神情中，似乎藏有弦外之音。

可那到底是什麼呢？

稚盈困惑著低下頭來，輕聲問著：「他在說什麼？」

以行聳了聳肩膀，摸了一把額前的瀏海，故作輕鬆地說：「遊戲吧！」

「時空遊戲，是透過無線腦機介面，進行時空動態呈現。人們一旦有任何起心動念，就會有所連結，就會影響無線腦機的遊戲操作。」

「起心動念——有這種東西嗎？」阿光問著。

「有啊，當然有。」

「在哪兒？」

「當然在腦袋裡。」

「藏在裡面，看不到啦！」

「是啊，起心動念只是極微細的意念粒子的波動，人們常常看不到它們，忽略了它們，久而久之，就忘了它們的存在囉！所以啊，有些時候，明明看到了它們，卻又像被什麼東西矇蔽住一般，無知無覺囉！」

「哦？」以行無意識地應了一聲，不禁聯想到大鏡廳裡，那些多得數不清的鏡像魅影，不自覺的全身打了個冷顫，心底多了一份莫名的激情，想要搞清楚個什麼，可是，它到底是什麼？自己想搞清楚什麼，卻又懵懵懂懂，不得而知。

不得不，以行暗問起自己：「怎麼會這樣呢？」

稚盈皺了眉頭，想了想，才問：「當我不知道時，無線腦機會知道嗎？」

「知道，無線腦機，當然知道。它有能力接收腦波的波動實相，回應實相。」

「酷啊！」阿光讚賞著。

這時，以行不知為了什麼，沒來由地帶著滿臉困惑和猶豫不決的聲音問：

「神話，只是個故事吧！」

「沒錯，神話算是故事。」

「那麼，故事是假的，神話也是假的，怎能去旅行？」

「沒錯！根本就是荒謬到不行。」阿光跟屁蟲似的立馬補上一句。

關主任猶豫了一下子，似乎避開了問題，實際上，更直截了當地，切入問題核心，有耐心的說：「時空旅行要救神話這件事，對任何時空旅人來說，都會覺得有點荒唐，有點不切實際。任誰都很難就這樣理解了，任誰也不願意就這樣相信了。可是，這件聽起來挺荒唐的事，確是千真萬確的真實。這個真實，現在不容易懂，絕對是無可厚非；現在不懂，沒關係，沒關係啦！旅程，本來就是要一步一步走出來，不是要猜，要設計，要推衍，要思考出來的。」

「不懂。」

「真的聽不懂。」

「神話是夢，是幻想的東西，連結著高維度的意識狀態，藏著一股大力量，保存文化傳統，連結著人們的精神狀態，隱喻著渾沌中的神秘真實，那是一種深沉的內在自我，傳達著某種生命訊息，還會不斷的在人們的心底，隱隱呼喚著。」

「呼喚什麼呢？」稚盈問。

關主任環視著旅人，想了一想，才說：「神話會不停的呼喚，來吧，來吧，親愛的孩子，回家吧！然後，讓人們在不知不覺中，記了起來。」

稚盈低垂著頭，認真地思索了好一會兒，又問：「記起什麼呢？」

「神話能讓人記起生命的本質，而懂得生活，懂得如何去追尋生命意義，懂得智慧生活啊！」

「天方夜譚罷了！」阿光難以置信的說著。

以行止不住焦慮的思緒，又問：「時空梭不該只航向過去吧！」

「當然不是！時空梭會穿梭在過去、現在和未來時空，航向不可思議的奇異時空，召喚旅人記起某些奇妙無比的玩意。而那些玩意啊，雖然只像在一念之間，像是靈光一現，就能探觸人性想像和人性以外最難以思議難以測量的幽暗隱微意識，而鼓動不可思議的大力量，改變了時空旅人。」

「一念之間？」以行異常專注的問著。

「是的。在我們的思想觀念體裡面，總會有一些念頭，左右著我們的想法，影響著我們的一舉一動，讓人遺忘了本來真實的我，……」

稚盈訝異的睜圓眼睛，絞盡腦汁，一字一句，無比慎重地，探問著：「你是說，在我的念頭中，有些不是『我』的念頭？」

「是啊！我的念頭中，有些不是我真正的念頭，這事奇怪嗎？」

「奇怪，當然奇怪。」旅人不約而同，大聲回答著。

「那麼，就當是奇怪吧！不過，千萬記得，在時空旅行中，要記得往內探看，才不會迷失自我，才不會迷航。」

這時，一幅牧民跟在商隊後面漫走的畫面，不期然的閃現在稚盈的腦海裡。

她搖了搖頭，試著清除腦中的雜念，什麼話也沒說。

可阿光強烈戀棧著要去看外面的世界，一時之間，像似刻意關掉耳朵，聽不進這樣的話。他閃過狡猾的眼神，心底波動著自己聽不到的雜音：「哼，往內探看！什麼鬼玩意，我才不信，我就是要去看外面的世界。」

因此，他吊兒啷噹的，以嘻哈的節奏，說唱著：「嘻嘻嘻，念頭念頭，來來去去的念頭；哈哈哈，念頭念頭，跳過來呀連過去，念頭念頭，那兒來呀，那兒去？」

他明擺出不屑樣，在吐槽。

可關主任沒事人般的看了看阿光，仍用平穩的語氣說：「念頭啊，就來自我的生活啊！」

「啊，念頭不就是在腦袋瓜裡？怎麼一下子又說是來自生活？」以行追問起來。

「是啊，真難搞。」阿光賊頭賊腦，眼睛斜睨著。

「人在日常生活中，在分分秒秒滴滴答答中，不論有意或無意間，我所聽到、看到、讀到、嘗到、感受到、想到和沒想到的一切訊息，都可能被收納、裁剪、編織成我的念頭。然後，我的念頭，就變成我想的事、我說的話和我所做出來的一切，還不時被錯以為是我。」

「哈，腦袋瓜是加工廠嗎？就這麼忙著進貨、出貨，進貨、出貨！」阿光的漫不經心，有質疑，有嘲諷，更有難以苟同的心緒。

「簡單的說，就是這樣；人的腦袋，就是忙著進貨，加工，然後，出貨。」

「不會吧，人的腦袋是加工廠？」以行不期然的拉高聲音，強烈質疑著。

「沒錯！粗淺的說，腦袋裡的思維運作，就像加工廠；進貨，上線加工，然後，出貨。」

「就這樣？」

「嗯，就這樣；再多，沒出貨的，就存入倉庫。」

以行伸長脖子，迎著關世英的臉，邊搖頭邊說：「那可真讓人挫折啊！」

「是啊，真讓人挫折！而且，念頭在大腦裡，加工、編織，編久了，就成了身體中的記號，成為記憶。有時，念頭還會披上黑斗篷，在生活中暗暗地指揮著我、奴役著我、控制著我；而我呢，不由自主的成為念頭的奴隸，還會無知無覺的認賊為父呢！」

「啊！」以行張大嘴巴，一副被嚇呆的樣子。

「你說得我好像只是一個懸絲偶！」稚盈全身無力的說著。

「可惜啊，只要是人，很多時候，就是這樣而已！」

哎，真是好一個行前震撼教育啊！

稚盈不自覺的做了一個好深好深的呼吸，然後又用力的吐出氣來。

一時之間，她說不出任何話來。

*****

關主任靜靜的觀察著旅人，然後，不著痕跡的，深化著行前教育。

「在人的記憶和思考模式中，有些記號，也會大有來頭啦！」關主任不輕不重，娓娓道來。

「怎麼說呢？」

「因為，有些記號啊，會由你、由我、由他不斷複製下，在生活環境中不斷出現，累積成理性記憶之外的記憶，發展成某種不加思考，不加檢視，就直覺反應的思維運作。」

「一切就理所當然了。」

「理當如此。」

「是啊！在異時空、異情境下，不會多想一下，不能多停一秒，就直接套用，直接認了，直接做了。而且，記憶還會存在基因的細胞核裏，在長久的文化脈絡中，一代傳一代，就成了世世代代族群間的共同記憶啦！於是，我的身體裡，存有我的爸爸媽媽的爸爸媽媽的爸爸媽媽……」

可這些話，阿光真的再也聽不下去，煩躁的暗自抗議著：「煩咧！」

「屁話連篇。」

「無聊透頂，時空旅行，就時空旅行。怎麼這麼多有的沒的，根本就是八竿子打不著。」

他不自覺的搖晃身子，眼球一陣飄忽閃躲後，還輕蔑的說：「很久很久以前的故事啦！」

「喔，阿光，可別小看它呦！當故事，從很久很久以前走來，走了千年萬年，來到眼前，它就藉著不斷的被說，被傳誦，被演繹，充盈著豐沛的能量，來到現在，存活於當下呀！它的力量，可大得很啊！」

「到底有多大？」阿光癟著嘴，嘲諷地問。

「它的力量啊，大過於我們想得到、研究得到的範圍，無比豐碩，無與倫比，難以思議；它的力量啊，大到能夠轉化所有人類的意識，跟所有人類的未來，都息息相關。」

「聽起來挺神祕喲！」以行應著。

「確實神秘。而且，它一直藏在我們的身體細胞裡，存在我們的文化基因中，活生生的持續運作著。」

「它一直都在啊！我怎麼從來都不知道？」稚盈無奈的喃喃自語後，搖了搖頭，顯得有點無精打采。

「絕不唬人。」

「聽不懂！」阿光邊搖頭邊說。

「聽不懂是正常，可別太在意喔！」

無線腦機就在關主任和旅人的聊天中，收集了有關旅人的過去，童年，家人，哪怕那些最細微的事情的所有資訊；知曉了旅人在搖籃裡的記憶，最隱密的感情訊息和所有所有的一切，甚至，旅人早已忘記的記憶。

然後，就藉由無線腦機收集到的東西，為時空旅人打造設計出獨一無二的時空旅程。而那些東西啊，果然是沒限沒制無際無量，有的沒的，沒有有的和沒有沒的，有無的和沒有無的，沒有無的和沒有沒有無的層層包覆，彼此穿透的一切記憶和一切思維記憶體本身，全部成了時空旅程的構成元素啦！

而且，每一個獨一無二的時空旅程本身，還要幫助旅人恢復記憶，幫助旅人去喚起記憶中遺忘的人和事，同時，也邀約旅人們，一起去彼此的記憶時空中漫遊闖盪，深入到靈魂裡，一起去經歷已經歷過的生命，還要彼此參與彼此的想像和深層思考，捲入靈魂深處和夢魘深淵，去玩弄一些最幽冥的想像，逼視探究靈魂本身的真實。

然而，這樣嚴肅的時空旅程，也是一場夢幻般的遊戲啦！

而且，這個時空戲，早已啟動，旅人們，早已在時空旅程中了。

09

潛行寶藏屋

層層疊疊、堆積如山的什物，竟然集體以著極為緩慢的粒子運動，在整體中彼此交換、彼此糾纏，……

漫無目的，毫不止息的波動。

闞主任帶領著旅人，曲曲折折的繞行在迴廊、通道間，然後，順著一道長長的斜坡，無止盡的向下緩步而行，進入灰茫地道裡，就這樣子，走出了宇宙探發局的主要建築群。

灰茫地道，彎彎曲曲，像個迷宮。

一行人，安安靜靜地，一步一步，向下潛行，好長一段路，不知不覺地，有了前往某種秘境的心緒，不知過了多久，才柳暗花明似的出了地道。

地道外，水聲淙淙，算不上荒野，卻少有人跡，少有動靜。可那斑駁歷史感的樸實，那經年累月砥磨淬鍊的時空跡痕，讓旅人有了久違的熟悉，有了溫潤的親切，同時對時空旅程，多了好奇，多了期盼，也多了不得而知的理解。

闞主任領著旅人，站在石拱橋上，說：「過了這安川水，前面就是寶藏屋了。」

阿光張開臂膀，仰頭做了一個深呼吸，直叫著：「舒服多了。」

淙淙水聲，在以行的耳裡，晃漾激蕩。

他低頭俯視橋下，不知是河床的高低落差或暗流所造成的緣故，但覺河水晃動的厲害，還多處迴旋出深不可測的漩渦，讓他有點暈暈眩眩的，掉入某種不明的渦漩狀態裡。

稚盈舉手遮眼，直叫著：「好刺眼喔！」然後，踮起腳尖眺望寶藏屋，說：「咦，前方有一大片金黃色的光芒。而且光芒中，有一個大巨人，守護著寶藏屋。」

「在哪兒，在哪兒？」阿光急忙湊到稚盈身旁，也踮起腳跟，眺望一番。

「就在那兒，大巨人左手握著明珠，右手握持錫杖，像大地般安靜不動……」

稚盈說著說著，突然，大巨人手上的明珠，似乎發射出光束，直直照過來，穿過她的身體，於是，她的腦袋空白了一下，忘了將要說出口的話，不知該如何說下去。」

然後，大巨人不見了。

這時，她才清晰地，聽到阿光說：「哪有？」

關主任早已走下石拱橋，向前行去，回頭呼叫旅人，「快走吧！」

旅人聽聞催促聲，沒有多說什麼，就往前飛奔而去，週身感到無比清涼。可是，沒多久，前方不遠處，突然臨空生起一陣旋風似的暗影，來勢洶洶，勇猛的俯衝而來。

「那是啥？」

旅人急急刹住腳步，仰起頭來，張口結舌，定睛看向前方，蒼茫的空中，竟有一團什物，正以迅雷來不及掩耳的速度，衝飛向旅人。

「啊，那是一個大虎頭。」

「獨角獸。」

「還有，龍的身軀。」

「一上一下的狗耳朵。」

「還有獅尾巴。」

旅人往後退了數步，緊盯著眼前的幻獸。

轉瞬間，幻獸就踩著四平八穩的麒麟足，在旅人眼前緩下步子，環繞著旅人，一耳向天，一耳向地，凝神諦聽的樣子，像似挺關心旅人，又像似探測著不為人知的祕密。

旅人被這突發事件驚嚇到了。

他們措手不及，本能地，張臂拱身，擺出防禦的陣勢來了。

「沒事，下去吧！」關主任迴轉身來，對著幻獸出聲交代。旅人放下了警戒心，機器犬也就退下了。

「小心門檻。」

關主任一邊提醒，一邊推開巨大的木門，抬起腳來，跨過半尺高的門檻。然後，橘紅的暖光，像似被悶久了，關煩了，總等待著門一被推開的剎那間，迫不及待的自屋內集體湧瀉而出。

錐形的暖光中，懸浮著金黃的塵埃粒子，漫無目的飄浮著。

飄浮著。

以行隨著暖光，望向屋頂。

高聳的圓形屋頂，素樸黝黑，嵌著一個圓形天窗。

圓形天窗，瀉下了溫暖的天光，邀請時空旅人，進入一種紛亂又神祕難測的古老記憶時空。

*****

旅人在寶藏屋裡，四處看了又看，發現這個地方擠滿了一大堆各式各樣看過、用過、聽過、想過的廢物或寶物，層層疊疊像一座垃圾山或寶藏山。而且那高聳的山頭，已隱入厚重漫覆有如烏雲的積塵裡，灰撲撲看不清楚，周圍似乎又底襯一圈圈銀光。不過，他們還是看見了低處的什物如黃金日晷，大銅鐘，斷了一牙的老舊木耙子，捲捲的竹簡，玻璃瓶裝的午時水，竹篾搖籃，被雷火燒黑的神木，黑泥古佛，大泥象，扁平的磁石指南針，龜甲殼，巨大墨條，海龍宮龍柱，出土的石碑文，鑲金包銀的瓷盆瓷碗，雕龍紋鳳的紅眠床，棉帛，金黃龍袍，鋼絲軟甲，編鐘，機器人，音樂盒，恐龍骨骸，……還有更多根本沒看過、沒用過、沒聽過、沒想過，甚至，連想都想不到的什物，層層疊疊，堆積如山。

雖然，這裡是寶藏屋，可是，旅人們走走看看，像似行走在沒有開始，沒有盡頭，無量時空的寶藏屋裡，瀏覽著驚人的寶藏山，卻也是無比專注，凝神注視著一段不可思議的旅程。

旅程中，他們看見了這些層層疊疊、堆積如山的什物，竟然集體以著極為緩慢的粒子運動，在整體中彼此交換、彼此糾纏，漫無目的持續波動；棉帛粒子，化入大銅鐘；大銅鐘的粒子，穿越棉帛，向著木耙子而去；黃龍袍上的龍珠粒子，嵌入紅眠床，和木頭粒子磨蹭著；更有晶玉白菜、古戰馬、二胡、琵琶、大銅鼎、乾葫蘆、銅鏡、垂珠龍冠、尋寶圖、千手觀音、武功祕笈、吊燈、水晶杯等什物的組成粒子，從八方以著極為緩慢的速度，向著大泥象的巨大身軀，波動前行，成為了了分明的波動粒子。

更精準地說，了了分明的粒子，漫無目的、毫不止息的波動。

波動著。

「好怪喔！」

「這是怎麼一回事？」

「難道，這是世界的樣子嗎？」

「沒錯！這是物質世界的實相。」

「難道，這世界只是粒子的波動與排列組合出來的幻象而已！」

「嗯，時空中的幻象而已！」

旅人們，被強烈震撼，被澈底顛覆，甚至，感到整個身體，似乎也支離破碎了起來。

這是未曾有過的爆炸性體驗啊！

此時，旅人發現筱真在密閉式裡，徒手操控的空氣螢幕和那一棵光纖生命樹，根本只是嬰幼兒的積木遊戲，根本只是一個學習把握當下的經驗而已！

旅人的意識思維，猛烈衝撞，腦波激烈波動，轟轟作響。

然後，他們似乎看出了這個世界的本質，似乎理解了堅硬的石頭，肯定會被風化出空洞，能組成晶亮的鑽石，成為金剛鑽手術刀，還能成了奶汁，成了綠樹，成了雲，成了許許多多，連想都想不到的東西。

但是，一時之間，旅人想不了那麼遠，看不了那麼深，只是意識上的理解而已；一時之間，他們未必願意承認，有一部分的自己，是具有物質性，像東西。一時之間，他們未必能深刻體認到自己，化生為人，也是從極微的意念波動開始，才有了卵子和精子的結合，而成了娃娃，成了學生，成了工匠，成了舞蹈家，成了農夫，成了爸爸媽媽，成了玩家，成了企業家，成了研究員，成了藝術家……；當然，有一天也會成了死人，成了土，成了水，成了風，成了火，成了許許多多，連想都想不到的東西。

不過，在這極度壓縮的寶藏屋時空裡，稚盈倒是記起來了。她記起在那塊曾被喚作「未知的南方大地」上，大蟒蛇化生為人的傳說，感悟到一股熱流穿梭全身，然後，她終於對澳洲北野地萬年洞窟裡，留有彩虹蛇的能量，祖靈仍在裡面歇息的原住民神話，有了另一番的看見。

這時，旅人親眼目睹著，一切物質的組合過程，一旦成了一個什麼樣的東西或世界，就又成為有點像又不像的東西或世界，毫不停歇的波動變化；甚至，他們也在壓縮時空中，穿古越今，化入寶藏山，契入一切什物中，端視著層層疊疊、堆積如山的什物，看著你，失了過去的樣貌，然後，換個樣子，看著他，又活出個不同的樣子來。

換句話說，旅人似乎化身微粒子，穿梭在毫不止息的礦脈波動中，瀏覽著寶藏山的山光景色，看著一切物質，死了過去，又活了過來；看著一切什物，不停的波動，形成某種意識，置換著微粒子，換成某種意識，玩著換名字的遊戲。

他們在這段科幻旅程中，真真切切的體認到，一切物質在肉眼看不到的高維度時空中，不斷生發變動；整體時空，持續變異轉化，毫無歇息的變動著。

可是，他們還想不到，想不到自己洋溢青春的肉體，也只是億億兆兆個粒子的聚合波動，存活著，細胞永不止息的新陳代謝，置換著細胞核心裡的核心微粒子，不斷變化、成長、衰竭、逝去。

不過，無論如何，旅人啊，已不知不覺地，走入一個更廣大更深不可測的生命領域，去重新看見世界了。

＊＊＊＊

旅人在現實生活中成長、碩壯時，免不了被密集學習，被檢定考試，壓得喘不過氣，把對世界最初的渴望，早早鄙夷丟棄；免不了被高度期待，被物慾消費，鞭打出滿身戾氣，變得垂頭喪氣，把最童真的想像，最輕盈的嚮往，拋得好遠好遠，甚至，遺忘了。

於是，時空旅程就免不了回到最初的渴望夢土，去召喚久違的初衷，免不了回到童玩時空，去尋覓輕盈的歡樂。還好時空旅程中，年輕的心靈意識，輕而易舉地，就被童玩時空，喚醒了。

旅人目不暇給，驚聲連連：

「真是讓人大開眼界啊！」

「這些個希奇古怪的寶貝，能做些什麼呢？」

「厲害、真厲害。」阿光把玩一個會由上往下，連續翻跟斗的忍者偶，嘖嘖稱奇。

「這玩意跟力學有關。」

「它暗藏機關嗎？」

「你說呢？」關主任沒有正面回答，轉身走向以行。

以行正把玩著自動啄食的小雞盤。

他一手抓住盤下的球，動了一動，盤上的五隻小雞，就乖乖的輪流啄食。

「哦，你們看，它的肚子裡，暗藏著五顆可滾動的鋼球。」阿光得意的分享著自己對忍者偶的發現。

以行放下自動啄食的小雞，湊到阿光身旁。

「給我瞧瞧。」

「你看，聰明吧！」

「哦，原來是這樣啊！球一滾動，就有了重力和速度的變化，帶動了忍者偶的連續翻跟斗。」

這時，稚盈輕敲著鋁盒的盤面，玩起「版盤中戲」。盤上有紅面將軍和白臉將軍兩個鬆人偶。她邊敲鋁盒盤面，邊唱起武打戲來了。

「可惡，半路殺出程咬金。」

「這下子，該當如何是好呢？」

「哎，罷了——，走為上策，先溜為妙啦！」

「別逃，看我耍大刀。」

以行聽著稚盈的妙語說演，笑看紅面將軍和白臉將軍，繞圈追逐，大戰一場。

「這個童玩，讓我想起機器人打擂台賽。」

阿光用十根手指頭，不停輪轉著手中的橄欖球，看了又看，研究了老半天。

然後，神秘一笑，吸了一口氣，然後，從橄欖球頂端，拉抽起軸心積木，剎那間，啪啦一聲巨響，整個橄欖球解體了！

剎那間，橄欖球崩解成一堆大大小小的積木塊；這些個積木啊，有的原先就看得見，更多的是，原先藏在橄欖球體裡，不曾看見的積木塊。

而且，突如其來的噪音，波動了空氣中漂浮的極微細小的生物，也喚來以行和稚盈的圍觀。

阿光得意極了！

他滿心得意的堆玩著積木，一心想要快速組合回去，好換個新鮮玩具來玩一玩。可他想了又想，試了又試，散了一桌大大小小的積木，卻再也兜不回原來的橄欖球。

「讓我試試看。」

稚盈忍不住出手幫忙，以行也來湊熱鬧，下手堆疊積木。

可是，時空旅人傷透腦筋，還是拼不出個大概樣，兜不回原來的橄欖球，回不去原來的樣子。

關主任靜立一旁，觀看著三人六手，變來變去，一時之間，還是難以捉摸出頭緒來，就笑著說：「這些傳統童玩和電玩手遊很不一樣吧！」

「好好玩喔！」

「蠻新奇、有趣。」

「確實有趣。不過，我們必須往前走。」

「等一下，再玩一下啦！」

關主任等在一旁，看著旅人流連耽溺在美好有趣的童玩世界，想著旅人肯定會樂不思蜀，會把時空任務，拋到九霄雲外。

於是，他無情的催了起來：「該走了。」

「好想再玩，再玩個夠。」

「對呀，再玩一下下啦！」

旅人，困住了。

困在迷戀中。

「走吧！」關主任板起臉孔，催促留戀童玩時空的旅人該邁開步子，繼續前行囉！

好不容易地，一行人才直直往前行去。

他們穿行了一束束、一篩篩、一格格的藥草區，聞到多重紛雜忽顯忽隱忽重忽淡的各式氣味，一下子，頭昏腦脹，令人噁心的直想逃離；一下子，自然的野菜味，像似昭和草炒肉絲的香氣，令人有了自在體驗的小確幸；一下子，是梅子粉加甘草的甜蜜味，不禁口水直流，想哈一口；一下子，又是讓人感覺輕飄飄的刺鼻味，還讓人看見了一片片粉紅、血紅、殷紅、暗紅、橘紅等罌粟花海的幻影……

「你們要知道，任何東西，都存有無限發展的可能性，也藏著深不可測的未知，隱匿著不為人知的危險性。有些東西，可別亂碰，別試最好。」關主任突如其來，給了一番耳提面命的說詞，阻止旅人的迷糊和放蕩。

旅人回了神，似乎瞥見某種墮落靈魂的確實存在，驚覺到自已是多麼容易迷茫沉溺時空中，因而生起莫名的不安，張著像似探照燈的眼睛，搜尋著像似來自遙遠星球的物質，感受到一股股無比強烈的暗黑質素和不明的異能量，綿綿延延，望不到盡頭。

*****

最後，關主任停在高及屋頂的整牆書櫃前，按了個機關，「喀——喀——」兩道卡楯移動聲，清晰可聞。而眼前的整牆書櫃，就緩緩地動了起來；依著藏書類別，分段滑動起來。

在緩緩滑動中，旅人瞥見了《混沌理論》、《量子力學》……

「浩瀚書海啊！」

「令人期待呦！」

還有，《西遊記》、《聊齋》、《紅樓夢》、《愛麗絲夢遊奇境》、《莎士比亞劇本集》、《說不完的故事》……

「這麼多書，該選擇讀什麼呢？」

還有，《搜神記》、《山海經》、《希臘神話》、《巫士詩人神話》……

「這麼多書，會不會淹沒了人，讓人變得更無知呢？」

還有，《金剛經》、《道德經》、《吠陀經》、《聖經》、《心經》……

「滑得好慢喔！」

「吼，真像三寸金蓮邁蓮步，急死人了！」

「快啊！」

以行等得無聊了，回轉頭來，找阿光。

天啊！

阿光被什麼絆住了？

他竟然還流連在藥草區，東聞聞，西嗅嗅，不知在玩什麼把戲哩！

「阿光！」

「該走了。」

以行的聲音，在高聳的寶藏屋裡，被放大了好幾倍，還不停地迴盪、繚繞著。終於，在持續迴盪、繚繞的聲音中，滑動的書櫃，滑出了一道門。

門一開，關主任就跨步前行，走入新時空；稚盈趕忙跟上。

可是，稚盈才一跨進門內，迎面而來的，竟是一道堵人的牆壁，就像大腦在運作思維時，有時，會意想不到的撞牆了。

她被迫轉入一條僅能容身的暗道，一時之間，稚盈難以調適的輕呼一聲：「啊！」雖然緊急剎住了腳步，卻拉不回早已往前奔的視線和令人錯愕的心境。有那麼幾秒鐘，她佝僂著上半身，有如一尊雕像，困處在密道時空，什麼都看不到，剎時眼盲了。

「這麼暗的通道，會通向哪兒去呢？」她不禁暗問著。

當她的眼睛，適應了密道的黑暗後，就快步追上去，走遠了。

可阿光困住了。

他困在童年的內在缺無中。

「阿光，快來啊！」以行著急地呼叫。

「真有趣！」他的嘴裡驚嘆著。然後，他在以行的呼叫迴聲中，帶著難捨的心情，抽離那些稀奇怪異、奇花異草後，急急的跑了過來，跨進門來。

可是，急急前行的阿光，一跑入門內，冷不防地，撞上停在轉角處的以行。他緊急剎住奔跑的雙腳，手臂順勢搭上以行的肩膀，為自己掙出一點點衝撞的空間，避免了身體的重量和奔跑的力道，整個撲倒在以行身上。

「喔，好險！」阿光萬分慶幸的自我安慰著。

可阿光猛一抬頭，手指不自覺的緊緊抓握以行，視線越過他的肩膀，換了口氣說：「怎麼是烏漆摸黑，這路，對嗎？」

突然，遠遠的前方，晃動著火光，隱現出更遠的前方，還有個轉角處。

「走啦！」以行撥開阿光慌張的抓握，快快追趕前去；隨著不停晃動、搖曳的火光，向前奔去。

那麼，在轉角處，又能遇見什麼呢？

*****

一進屋內，濃郁的檜木香，撲鼻而來。

旅人燥動的心緒，霎時沉靜下來。

以行舉頭環視，木質肌理分明的樑柱，堅實穩當的撐起高挑的大空間。天啊！

那天花板，可不是一般的天花板。

以行驚豔不已！

「好美啊！」他暗自驚嘆著朱紅、黃土、白銀、玄黑、翠綠等色彩之美。

「哇啊，蜘蛛結網耶！」阿光也仰頭欣賞著枝椏交錯的藻井。

「有龍有鳳，還有，龍首魚身鰲尾巴的奇異動物呀！」

正當旅人驚嘆連連時，以行聞到了一陣花香，空中依稀有飛天仙人正捧著香花，舒捲著自如的飄帶，輕拍著翅膀在跳舞哩！

屋內中堂處，高掛著一盞雕工精緻、古色古香的琉璃燈。燈裡，燃燒著油燈芯，吞吐著藍光紅蕊火。無數盞宮燈，環屋而掛，輕灑柔和的光暈，映照著牆壁上一幅幅水墨畫。

這是一個寧靜的時空，似是動態又是靜定，似有聲又是無聲，凝聚著現實文化的夢，而夢的邊緣飄忽著依稀可辨，又難以捉摸的暗影。

夢的暗影，飄忽不定。

以行端詳著「只在此山中，雲深不知處」的字畫，那流動的水墨線條和筆觸，有著輕重快慢的揮毫流光和起伏反覆間的層次佈局，凸顯出豐厚的獨特氣韻，可又能瞧出一種對世間的遺憾，而逃匿，而躲藏，又像似說著不再算計，不再抗爭，不再辯駁，讓一切就這樣。

就這樣。

阿光凝視著百馬圖，百馬奔馳騰飛的英姿，高高揚起了昏天暗地的塵土。他不自覺地凝視著塵土揚飛中的馬蹄，似乎聽到了，達達達奔騰的馬蹄聲，踏響了時光的飛逝，憾動了心緒，害他糊里糊塗的，發瘋似的，達達達也奔馳了起來。

「阿光你在幹嘛！」以行依著鏡廳魅影的過往體驗，緊急出聲，阻止了他。

啊，這天圓地方的時空，抽離了旅人的生活經驗，引領著他們潛入獨特的華夏文化，豐美的藝文空間，也牽引著戰士，進入夢土異鄉，期待驚醒旅人的心靈之眼，看見無所有。

10 太初蛋的幻化

「我，就是鑰匙。」
「我，就是藥石？」

稚盈立在龍蟠樑柱旁，彎著腰，使勁轉動著絞鍊。然後，中堂上高掛的琉璃燈，緩緩下降，直到燈光聚焦、投射在桃花心木大書桌上，她才固定好絞鍊，走回桌旁。

這時，關主任戴上絲質白手套，小心翼翼的捧著一個雕工繁複細緻的桃花心木箱。穩妥地，他把木箱擺放在琉璃燈光圈下的大書桌上，然後，坐上太師椅。

「這是什麼玩意兒？」

阿光輕步慢移，湊近稚盈身旁，小心翼翼地問著。

稚盈注視著關主任的一舉一動，搖了搖頭，沒有回答。

而關主任正帶著有點生疏的動作，摸索著。然後，在寂靜的屋內，「叮」一聲，清脆可聞。關主任終於打開了桃花心木箱。

他雙眼閃過一抹神光，就怕打壞了此刻的靜謐與神奇。然後，微微仰起頭來，輕呼了一口氣，整個身體才鬆弛了下來。

他從容地攤開紅絲絨布，緩聲低語著：「四頁書啊四頁書！」

剎時，旅人被一股神奇的氛圍所吸引，不自主的趨前觀看桃花心木箱裡的四頁書。

「這該是特大號的阿婆鐵蛋吧！」

「沒圖沒字，怎麼會是書呢？」

「書有一定的樣子嗎？」

「那倒是沒有。不過，叫它書，可就太離譜，太不可思議了。」

「這顆大蛋丸，」以行繞著大書桌，上上下下仔細觀察著四頁書，又說：「根本是一體成型啊！怎麼會是書呢？」

關主任移了移坐姿，穩當的貼靠著太師椅背，然後，雙肘擱在椅臂上，十指指尖相會於下巴，雙眼定定的看著四頁書好一會兒。

然後，他站立起來，雙手捧出四頁書，說：「仔細看側面，發現了什麼？」

「有頁痕，」稚盈開心的說著：「不注意看的話，還當真看不見耶！」

「這是烏金打造的奇異天書。書沒打開時，就是完全交融密合的太初蛋。」

「太初蛋？！」以行急切問著。

「聽不懂耶，能多說點白話嗎？」

「來，仔細聽好。四頁書是天書，共有四頁。」

「四頁書有四頁，這話簡單，我們能懂。」阿光插嘴說著：「不過，一本書只有四頁，是哪四頁啊？說的是什麼？」

「據說，書中的第一頁，什麼都沒有……」

「就像空白蝴蝶頁。」

「像是這樣，也不是這樣。無論如何，四頁書有四個不同的主題。第一頁，是空無時空；第二頁，是粒子元素，第三頁，是大巨人時空，第四頁，是大千世界。」

「啊？什麼跟什麼！」

「四頁書敘說著整個世間、宇宙的生成化滅的實相。」

「天書啊天書，難懂！」

「少唬人了，才四頁書，怎能說盡世間宇宙事！」

「要是果真如此，天下書不就成了垃圾，成了多餘的廢物囉！」

「不盡然是這樣啦！不過，這烏金太初蛋，屬於神話思維的創作。」

話音一落，以行雙眉緊鎖，嘆了一口氣，說：「又是神話！」

剎時，阿光漫不經心地提醒著：「很久很久以前的故事，總是虛假，總是荒謬，總是空話。」

「這顆烏金太初蛋，說的不至於是空話吧！」稚盈不以為然的說。

「不，絕對不是。如果，神話全部是捏造的事物，早就被排除，被厭惡，被棄之不顧啦！神話啊，存有著高科技能發現的事實，含藏著肉眼不易看見的真實，敘說著宇宙的真理啦！」

「嗯！」稚盈和了一聲，轉口問：「這書是誰創作的？」

「作者已不可考證了。不過，它典藏著了不起的東西，卻是存有諸多實證。」

「像經典那樣嗎？」

「沒錯，它是經典。而經典啊，總是訴說著滴滴答答分秒間的經過，典藏著剎那剎那間的故事。」

「明明只是一顆大蛋丸，哪能如此神奇，這麼抽象！」

「是啊！這太初蛋可真會裝模作樣，引人入勝。」

「無論如何，這太初蛋也是經由意識波動，想像，創作出來的四頁書呀！」

「可它真是抽象的離譜。」

「難以相信。」

「嗯，具體科技的創新源頭，不也多是來自想像？」

「是喔，大腦的特異功能，就是想像力。」

「確實如此啊！」

時空旅人就愛夢想空想聯想幻想奇想妄想玄想一大堆有的沒的像的不像的沒完沒了的東西；就愛想東想西，想藝術想科技，想天堂想地獄，就是想個不停，想出了浩瀚的文明，璀璨多采的文化，質量噴發的萬象和一套套分門別類的堅實體系。

因此，旅人在新奇和驚異連連的心緒底層，還潛伏著無知的挫敗感，流竄著茫然未知的焦慮感。在不知不覺中，興起了某種自我渺小感，衝擊出些微的不知如何自處，如何自我定位；游離在已知和未知、迎合與抗拒間，徬徨不已！

*****

無論如何，在這不可思議的太初蛋之前，旅人們也被好奇心和驚異感，猛烈驅策著，頻頻發問：

「這書能看嗎？」

「當然能看呀！」

「如何打開書？」

「這太初蛋，看來沒孔也沒洞，看來是打不開。」

「喔，不——，太初蛋，到處是孔是洞。」

「你剛才不是說過，太初蛋完全密合。這下子，怎麼又會是到處是孔是洞呢？」

「這個啊，你倒是問倒了我。不過，我們的肉眼，本來就是粗糙的工具，看不了多少微細的東西。」

「睜眼說瞎話，根本就在騙人！」阿光忍不住叨唸了起來。

關主任不氣也不怒，看了看阿光，說：「科學儀器，一直幫忙人類，看到了更多微細的東西，像奈米、原子、質子和中子等，不是嗎？任何東西，都是由粒子所組成。粒子和粒子間，就會有空隙。換句話說，所有東西，都是有孔有洞；太初蛋也不例外，確實是有孔有洞啦！」

「既然有孔有洞，那麼，你有鑰匙嗎？」

「有，每個人都有鑰匙。」

「每個人都有？」

「沒錯！」

「那就別吊胃口，快拿出鑰匙來呀！」

「鑰匙是一種極為細小的粒子元素打造出來，沒有具體形狀。」

「真微細的鑰匙！」

「沒有個樣子？」

「沒有。」

「像水、火、土、風，那種自然元素嗎？」

「沒錯，鑰匙就是粒子元素打造而成。」

「真神奇！」

剎那間，極度的好奇心、驚異感，鞭策著時空旅人頻頻發問：

「是風嗎？」

「火呢？」

「還是土？」

「水嗎？我這兒就有水。」

旅人你一言、我一語，急切地連番發問，逼迫著關主任毫無回話的空檔和時間。然後，他們又挺有默契地閉上嘴巴，睜圓眼睛，直勾勾地盯視關主任，熱切地等著。

「對，你們都對。真鑰匙是需要這些粒子元素，才能打造出來。」

「可是，我不知道，鑰匙在哪兒？」

「我的鑰匙，就在我這兒啊！」

「我的鑰匙，就在我這兒？」以行認真思索、探究著。

「嗯。我，就是鑰匙。」

「我，就是藥石？」

「嗯，沒錯！鑰匙是風是水是火，由多種元素打造而成。」

「是風是水是火，多種元素打造而成啊！」阿光嘟嘟囔囔，側頭想著。

關主任端視著旅人好一會兒，又緩緩的說：「鑰匙是那種帶著微微濕度和熱度的風。」

「微微濕度和熱度的風，會在哪兒呢？」稚盈一邊環視逡巡，一邊喃喃自語著。

「是風啊！」突然，以行眼中閃現一抹機靈，帶著一絲不太肯定的語氣問：「你說的是這樣的風嗎？」

「你以為哪樣的風呢？」關主任興致勃勃的問著，沒再給出任何暗示。

以行微微仰起頭，噘起嘴巴，向空中輕輕呼出一口溫熱的氣息來。

「沒錯！」

關主任燦爛的笑了。

「不過，要記住喔！這風一定要飽藏粒子元素，才會是一把真鑰匙。只有真鑰匙，才能穿透密實的烏金，滲入烏金結構的微細洞隙，解構太初蛋的意識組合，開啟書頁。」

「麻煩妳了。」關主任邊說邊用眼神示意稚盈，把桃花心木箱裡的絲絨布拿出來，鋪在大書桌上，他才穩穩地放下手中的太初蛋。然後，又從大書桌的抽屜裡，拿出一頂烏黑的布帽。

「這是書生帽，藍布裡子內，藏縫一副無線腦機晶片，可以接收人們的起心動念、思維和情緒等內在的意念波動。」

「它也能監測意念波動？」

「怕它嗎？」

以行的眼神，飄忽了一下，搖了搖頭，甩去腦海裡的雜訊，沒有多說話。

「現在，誰先來？」

「我來。」阿光搶先坐上太師椅，關主任就為他戴上書生帽。

「切記喔！真鑰匙，才能打開天書。還有，打開書後，直接看進去。」

這時，稚盈和以行，不約而同退開一步，提心防備著自己的一呼一吸，就怕有哪個一不小心，壞了打開太初蛋的神秘關鍵時刻；就怕有哪個不經意的小差錯、小閃失，錯掉了四頁書啟動的驚奇和未知旅程。

可阿光卻抬起頭來，問著：「要看什麼？」

「嗯，就把自己當成一面鏡子吧！」

「不懂耶，能說白話嗎？」

「像鏡子在照看東西那樣，只是看著；沒有問題，也沒有答案，就是看著。」關主任邊說，邊用手勢叫稚盈和以行，再退後一小步。

阿光緩緩向前傾，深吸了一口氣，慎重的噘起嘴來，又舔了舔嘴唇，小心翼翼地，逼近太初蛋。

他對距離細心打量一番後，停在即將碰觸到四頁書，又絕對碰不到它的安全防線上。在那精準挑選的防線上，如臨深淵，如履薄冰般，聽著自我的心跳聲，蹦蹦跳著。

他繃緊每一條神經，等待心跳律動的自我調整，然後，抬頭挺胸，專注無比，深吸一口長氣，直直灌滿腦門後，才在自然的氣流律動帶領下，對準了四頁書，緩緩地，呼出氣來——

那是一口輕輕緩緩綿綿延延若有似無溫溫濕濕好長好長的氣息。

*****

剎那間，堅硬無比的太初蛋，活了起來。

「哇啊！」

「你看，烏黑蛋，竟然沁出白芒光來了！」

一道道白芒光，輕輕的彈開了阿光的身子。

這時，闞主任的腦海裡，不禁波動著靜默的聲音：「這黑與白，竟然是本來呀！」

時空旅人，睜著圓滾滾的眼珠子，目不轉睛，直勾勾地射出驚異眼神，看著芒光四射的太初蛋，看著堅硬密實的四頁書，漸漸幻化，一直變變變，變個不停。旅人禁不住，小聲地讚嘆，光團的持續幻化。

「硬梆梆的老婆蛋，變得不一樣啦！」

「啊，烏黑蛋沒個樣子了。」

「烏黑蛋，沒了。」

「沒了！」

「太初蛋，竟然沒了。」

「一直在變異轉化耶！」

「對呀！跟宇宙生命樹一樣。」

「毫不停歇的變異轉化著。」

「看啊，它要變成書啦！」

「快，出來了，四頁書出來了！」

「原來，四頁書長成這樣子呀！」

「它要翻開封面了。」

大家聚精會神的，圍看著天書，忙著對剎那間，一個個不停的驚奇發現，發表著自己的看法。可萬萬沒想到，當太初蛋正要完全攤開書頁，卻又未完成攤開書頁的剎那間，大夥兒似乎感覺得到，隱隱約約中，另有一股莫名的、看不見的力道，正醞釀著翻轉眼前所見的一切。

而且，當旅人們察覺到這股莫名的、看不見的力量壓迫時，剎那間，強大無比的暗黑力量，虹吸收納了四頁書。

旅人倒抽一口氣，秉住氣息。

剎那間，真不知道該如何因應？

突然，稚盈冒出一句：「沒了！」

話音一落，四頁書就真的被完完全全的吞沒了。

消失不見。

沒了！

那兒，徒留一團似有若無的明亮光團。光團中，活生生地，波動著無數無量的粒子。

「進入光團，看進去。」

「快！」

阿光卻抬起頭，回看著關主任，遲疑著。

「放空腦袋，不要想，直直看進去。」

關主任盯著書生帽，又把手放在阿光的背後，順手輕推他一把，助他毫不遲疑的，進入光團，閱讀已不見的四頁書。

那樣子，對站在一旁的以行和稚盈來說，簡直荒謬不已！

關主任怎麼會要阿光去看，什麼都沒有的東西呢？

可那光團中，是什麼樣的時空呢？

阿光能在那若有似無的光團中，看見什麼呢？

時空旅人困惑著。

可是，我們的看見，就是肉眼接收外在的鏡像，經由神經的傳導，意識的波動，靈魂的解讀，才有了所謂的看見；說到底，看見，終究是靈魂在看啊！

而且，當阿光看入光團的時刻中，光團又無中生有了！

光團，無中生有地，呈現出模糊的書頁影像，生發出紅光、藍光和綠光。

三道彩光，交錯投射，然後，現出紅、橙、黃、綠、藍、靛、紫的彩虹光譜；漸漸地，彩虹光譜，重新聚焦成三道彩光，走出各自的軌道，緩緩地，迴轉在明亮光團內。

「你看！」稚盈顫抖著聲音，提醒以行。

「哦，是這樣啊！」關主任喃喃自語著，就像他也是第一次見證著這番奇蹟。

沒多久，迴旋的三道光芒，靜止不動了。

然後，光團外圍的白色芒光，緩緩地內斂，退回光團的核心。三道彩光，漸漸淡化而去，最後，殘留些許微弱紅光，流連在光團中。

「微弱紅光，變了。」

「沒錯，紅光越來越紅，還動起來啦！」

「喔，紅光勾勒出四頁書的樣子來了。」

「是紅光四頁書耶！」

「啊，它又要翻開封面啦！」稚盈緊張的秉住氣息，蠕動著雙唇，用只有自己才聽得到的聲音說著。

這時，那抹勾勒四頁書型的殘留紅光，又流連動了起來。

然後，清晰的暈抹過空無、粒子元素、大巨人和大千世界的多重時空。

然後，那一抹紅光，似乎攜帶著一股超強力道，貫穿了四頁書，通達了的所有時空的同時存在後，才隱匿而去。

光團繼而消失，徒留若有似無的太初蛋，晃漾著白色芒光；然後，微弱的芒光，漸漸隱匿，太初蛋漸漸暗沉具體化；終於，烏金太初蛋，一動也不動地停駐在紅絲絨布上了。

阿光呆了一下，放鬆身體，癱靠在太師椅上，輕呼一聲：「太神奇了。」

「神啊！」關主任暗自嚷著，然後，吐出氣如游絲的聲音說：「就這樣，出來啦！」

「你說什麼？」阿光無力地回應著。

「哦，」關主任回神，並說：「你已完成你的選擇了。」

「選擇什麼？」

「任務啊！當然是時空任務。」

「我哪有選擇？」阿光辯解著：「我什麼都沒做啊！」

「相信吧！不知道，就相信吧！」關主任笑著回答：「你早已做了選擇，只是自己不知道罷了！」

因為，密令早已下達。

以行的心中，清晰了然的知道，阿光已選擇紅光任務了。

至於，紅光任務會是什麼樣的任務呢？

旅人們，無從得知。

「這次換誰？」

「我可以不選擇嗎？」以行遲疑的問著。

「可以啊，當然可以。」關主任開心的答著：「然而，自由意識的行使，可不容易喔！」

稚盈坐上太師椅，戴上書生帽，不知不覺中，就有了綠光任務的選擇。

而以行呢？

他也在不知不覺中，選擇了藍光任務啦！

因為，密令已下，旅人只能奉行。

至於，時空旅人，到底會有什麼樣的時空旅行呢？他們各自會有什麼樣的任務呢？

此時此刻，時空戰士無從得知。

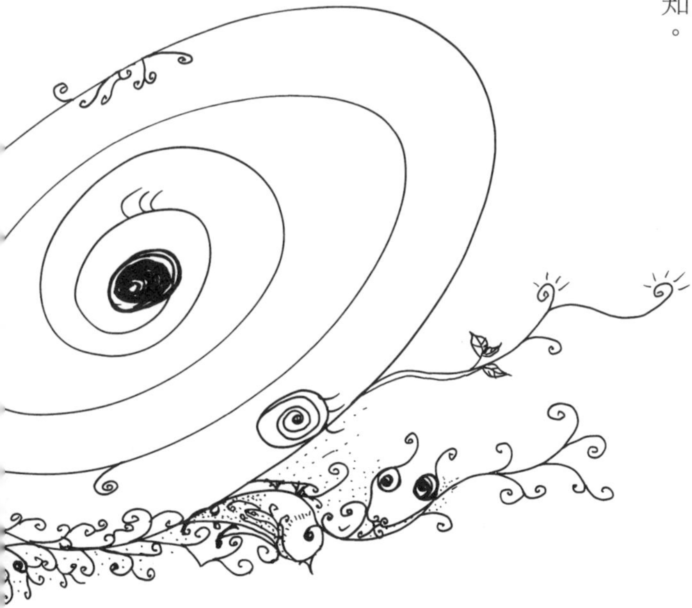

11

無歧地

人啊！在生活時空中，不論一字一語、一心一意、一思一念、一舉一動，都有著自覺與不自覺的繁複編織和精密設計，……。也因為這樣，人們在一場場生活時空的遊戲下，才能成就出獨特文化和高度文明。然而，人們卻也因為這樣，把自己困在狹小的物質世界了！

關主任小心翼翼的放好四頁書，鎖上桃花心木箱，放回暗室後，又坐回太師椅上，沉思著。

旅人們，不明究理，騷動著。

沒多久，阿光就缺乏耐心的嘀咕個不停。

「任務選好了，不是嗎？」

「嗯。」

「該出發了吧！」

「或許，未必。」

「那現在要幹嘛？」

稚盈只能攤開雙手，聳肩，搖頭，無聲應著。

關主任回過神來，看了看旅人，緩緩的說：「人啊！在生活時空中，不論一字一語、一心一意、一思一念、一舉一動，都有著自覺與不自覺的繁複編織和精密設計，讓說話不只是說話，吃飯不只是吃飯，穿衣不只是穿衣，閱讀不只是閱讀，送禮不只是送禮。也因為這樣，人們在一場場生活時空的遊戲下，才能成就出獨特文化和高度文明。然而，人們卻也因為這樣，把自己困在狹小的物質世界了！」

「真煩哩！」阿光在大書桌旁晃來晃去，然後，低聲地抱怨了起來。

「在日常生活中，連要不要吃辣味、要不要睡到自然醒、要穿哪一件衣服、要不要撒謊等，都有我的選擇與遊戲。」關主任視若無睹，繼續說下去。

「長篇大論，沒完沒了。」阿光煩躁不安，連聲抱怨了起來。

「人是在一連串的選擇中，活著。而每一次的選擇，不論是芝麻綠豆事、天大的要事，都開張著密實的網，網羅著我的要、我的不要，網織著你的是、你的不是，網住了一切知道與不知道，留駐了陰影處處的遊戲。我的人生啊，是在我的選擇之下，所串聯發展出來的。」

「哼，我可沒有選擇出生在哪個家庭喔！」阿光急著要搭上時空梭，脾氣就暴躁了起來。

「咦，這我可不知道呦！」稚盈別有用心的看向阿光，話中有話。

這時，關主任像似什麼話都沒聽到一般，逕自起身，走向雕花木窗邊的休憩區，望了望窗外的蓮花池，在夏風中輕輕搖晃。然後，取出四個馬克杯，泡起咖啡來了。

「要牛奶嗎？」

「我要。」稚盈大聲說完後，伸手接住關主任遞過來的馬克杯，就近一看，驚喜地發現杯上的圖畫，全是隨機纏繞的線條，卻不可思議的藏著一張張不同的臉譜，或圓，或扁，或微笑，或驚訝，或輕怒，或甜美，或狡猾，甚至，群臉像，轉個角度看，立即變臉，成了章魚，成了兔子，成了孔雀；普普通通的馬克杯上，藏著讀不完的意象，展示著看不盡的風光。

關主任端起有宇宙探發局的意象圖馬克杯，喝了一口咖啡，緩緩地說：「其實啊，人們的生活遊戲，總是串聯著諸多的情緒、思考與追求，藏著自我不得而知的密碼。就拿喝一杯咖啡來說……」。

「我最愛拿鐵了。」稚盈聞嗅著咖啡香，頗有興致地說。

「不就是牛奶咖啡，有什麼稀奇。」阿光厭煩地說著。

「是啦，沒什麼稀奇。阿姨也不喜歡拿鐵，還說咖啡沒了苦味，沒了果香，哪是咖啡？可是，我就是愛牛奶加咖啡的溫潤。」

「哈，根本就是戀家。」

「誰說的？」

「我啊！」阿光大啦啦頗自以為是地說：「牛奶加了咖啡，根本就悶住了咖啡的味道，香氣哪能遠遠飄送。」

「哼，說什麼遠遠飄送，根本就是愛漂泊，老想著要去旅行。」

關主任對著旅人微微一笑，像似在說：「好了，別鬥嘴了。」然後，看向失神的以行，問：「你呢？」

「啊？」以行回了神，淡然地答著：「沒有特別喜歡或不喜歡。」

「了解。」關主任點了點頭，緩緩說著：「人們為了喝咖啡，不僅要選地種豆，烘豆，還費心思慮烘培曲線、酸味、苦味、濃度、香氣等杯測過程，還得在牛皮袋上留下微細難察的小洞口，給咖啡呼吸，讓咖啡自然醒著；沖煮咖啡時，還要細心拿捏著溫度、攪拌、萃取的時間，苦心鑽研拉花藝術後，才獻上一杯幸福的咖啡。所以，咖啡是……」

「不就是咖啡。」阿光挺不耐煩的快言快語，嗆上關主任。

「沒錯，咖啡就是咖啡。不過，咖啡也不只是咖啡，不是嗎？」

「真不知道，你在說什麼？」阿光像似為反對而反對，挺無趣地說。

「說到咖啡，總離不開如何生產，如何喝吧！」關主任喝了一小口咖啡，又舉高馬克杯，直視著杯裡的咖啡說：「它啊，是種植，是商品，是生活，是科技，是精品，是藝術，也是文化。」

「確實如此。」以行也覺得阿光倔強了些，就禮貌性的回應了關主任。

阿光晃了晃手中的馬克杯，搖了搖頭，帶著諷刺意味的聲調說：「吼，咖啡發酵喲！」

「說的真好。咖啡的發酵能量，可大得很哩！」

「啊？」阿光錯愕了一下，白了一眼，暗損自己：「哎呀，自找麻煩。」

「不信嗎？」

阿光緊閉雙唇，頑強地無言抗拒著。他陷溺在欲想即刻搭上時空梭的極度渴望中，自我煎熬著。

可稚盈毫不理會，接著說：「像藍海咖啡嗎？」

阿光嘔極了。

他想不到稚盈會在這時，說了這樣的話，就恨恨地，斜著眼，掃了她一眼，煩躁的，在心頭翻攪著：「幹嘛，真多話！」

「嗯，藍海咖啡啊，」關主任又說：「它可活生生的交織著社交人脈、享樂、解決問題、權力交換、價值、道德和慾望等思維的算計與編織。可是……」

「可是什麼？」時空旅行的焦躁渴望，逼迫著阿光，越來越不耐煩，話聲裡有著強烈的挑釁意味。同時，還在心裡暗槓了起來，「閒話這麼多，真像老太婆的裹腳布，又臭又長。」他一點也沒享受到怡人的咖啡香，臭臉倒是越拉越長了。

關主任把缺乏耐心、頑固、倔強、暴躁、衝動的阿光，清清楚楚地，看在眼裡，可他仍悠悠閒閒地聊著，心知肚明地揣想著：「就此打住，還是，說清楚，講明白？」

他揣想著。

*****

「在這個世界上，有胖就有瘦，有光就有暗，有好就有壞，有美就有醜；可是，人們往往只看想看的部份，選擇了片面觀點，看不見整體的實相。至於……」

阿光用力吐出氣來，自言自語著：「真要命！」

以行看了看阿光，不禁直白地，提出質疑：「這跟時空旅行有關嗎？」

關主任看著以行，慎重的點著頭。然後，轉口說：「時空旅行，是一場時空遊戲。至於，時空遊戲啊——」

「時空遊戲，怎麼啦！」稚盈不理會阿光，仍興致勃勃地問著。

「時空遊戲啊，不僅讓人看見想看或應看的東西，也會讓人猛然醒過來，發現原先看不見的秘密。」

「看不見的秘密？」稚盈好奇極了。

「是啊！那個秘密啊，往往會連結上生活中的小事……」

「小事，那就別煩啦！」阿光毫無掩飾地，噴射出滿滿的不快來了。他的聲

音，毫不客氣地，傾瀉即將爆炸開來的躁動情緒。

「聰明！人要是真能如此，那就太好了。」關主任神采自若，像似聽不懂阿光的話，大聲稱讚一番。然後，緩了一緩口氣，接著說：「生活中，總會有些小事，牽引著人，看東不看西；影響著人，說三道四；左右著人，來來去去，一次又一次的陷入難以了斷的習性裡。這種小事呀，雖然是小不點，卻有大力量喲！」

「哦！」稚盈應了一聲，挺有意謂的看了阿光一眼，沒多說什麼。

「高招啊，你正說著我們吧！」以行也暗想著，沒出聲。

阿光似乎聽到了些什麼，似乎又像什麼也沒聽到，還是，夾雜著頗不耐煩的情緒，質疑著：「這麼厲害？」

關主任改以輕鬆的語氣，回應著：「沒錯，小事，也會是大事；小不點，也會有大力量。」

「嗯，小螞蟻也有大力氣。」稚盈說。

「小事啊，有時就像月光和故鄉，打得正著。」以行不由自主地，脫口而出。

「月光和故鄉？」關主任拔高聲音問。

「嗯。」以行一副無所謂，心不在焉地應著。

可關世英開心地，雙掌擊拍一下，大聲說：「月光和故鄉，有意思呀！」

「哼?!」阿光處在狀況外，像牛一般，從鼻子噴出氣來。

以行忍不住的揚起了嘴角，暗爽著：「真的嗎？他在稱讚我耶！」

可他馬上又自我懷疑了起來。因為，他根本不知道，這話兒哪裡有意思了。

而阿光的真正懸念，是時空旅行，是搭時空梭去看世界。他沒興趣，也懶得理解月光和故鄉這種虛浮不實的風情。

他被懸念奴役著，一點也不想懂。

他聽不懂。

於是，他更煩躁地嘮叨起來，「真是夠了！沒完沒了。」

稚盈歪著腦袋，心領神會地，衝著阿光，嫣然一笑，說：「月光和故鄉，有秘密。」

可阿光滿頭霧水，不知道稚盈到底在說啥？笑啥？

於是，他毫不客氣地斜著眼，沒好氣的說：「笑什麼笑，煩咧！」

「秘密啊！」稚盈也老實不客氣地，捉弄阿光，吊他胃口。

*****

阿光在煩躁情緒的推波助瀾下，更是受不了這種小祕密的漣漪效應，容不得自己被排擠在「知曉秘密」的小圈子外，就帶著些許怒氣，誇張的對大家雙手一攤，說：「到底什麼跟什麼啦！」然後，他又衝著以行說：「是兄弟的話，就別打啞謎，說風涼話。」

以行吃了一驚，暗問：「對呀！月光和故鄉有什麼關係？」

原來，說的有理，未必明白道理呀！

「以行，你倒是說說看，月光和故鄉，到底有什麼鬼意思？藏著什麼秘密？」

以行一被逼問，腦袋瓜就迅速轉起一籮筐的點子與念頭。

「我只是隨口說說罷了！」

「嗯，這樣說，挺酷的。」

「我沒多想啦！」

「『有意思』、『有秘密』，是他們說的，又不是我說的。我不知道呀！」

「可是，我何必曝光洩底，自己打臉呢？」

「既然『有意思』、『有秘密』，那麼，我肯定是對的。」

他自我辯解一番，就自我合理化了一切啦！

可那小祕密是什麼呢？

以行根本不知道啊！

然而，為了面子，可得掙出裡子來呀！

不自覺地，他使勁轉腦袋，激腦力，思考著。

「月光和故鄉，到底是什麼跟什麼？」阿光理直氣壯，又逼問而來。

以行的自我防衛壓力，隨即竄升而上。

他快速算計，翻轉思緒：

「老實招出原委吧！」

「可別落個不打自招啊！」

「何必露出狐狸尾巴呢？」

「不！就是瞎掰，也要掰出個樣子來。」

「我是陳以行哩！」

剎那間，峰迴路轉，萬般幸運的，他拉出隱藏的線頭來了。

可他又裝出無比淡定的樣子，毫不在乎的說：「喔，那不就是暗夜的月光和遙遠的故鄉。」

阿光一聽，火上心頭，急躁的口無遮攔，發射怒氣來了。

「狗屁！」

「廢話連篇。」

稚盈見狀，雙眼一溜，好心的為好友揭密，「嗯，暗夜的月光和遙遠的故鄉之間，藏有小祕密耶！」

以行暗爽不已。

阿光卻更加挫折了。

他頓覺無比挫敗。

關主任滿懷關心，看了看阿光，就像沉思中的詩人，緩緩吟出：「床前明月光，疑是地上霜，舉頭望明月，低頭思故鄉。」

「荒謬！」阿光帶著濃濃火藥味，聲色俱烈的嗆向吟詩人。

稚盈一聽，免不了尷尬的低下頭來，搖了搖頭，像似在責備好友：「太衝了。」

「月光就是月光，故鄉就是故鄉。可別醉眼撈月，淹死人。」阿光理直氣壯地辯解，讓人尷尬到極點！

可關主任出離了火爆情境，淡定的笑了笑，點了點頭，「這樣說，也是沒錯啦——」

「那還用說！」阿光聳了一下肩膀，自鳴得意著。

「可是，有時卻也未必如此。」

「哎，又來了！」霎時，阿光又像洩氣的皮球了。

然後，他帶著對某種轉圜的期待，話鋒一轉，又擺出高姿態，質疑一番：「沒錯就沒錯，哪來那麼多的『可是』！」

「沒錯，月光就是月光，故鄉就是故鄉。不過，要是有人用手指著月亮，邀我去欣賞月光時，我看的……」關主任慢慢的說著。

「不就是月亮和月光。」阿光硬搶話，強出頭。

「真的只是月亮和月光嗎？」關主任環視著旅人，邀約旅人，多想一想。

「真是如此嗎？」關主任持續地，釋放友善的理解意念。

這時，火爆的氛圍，有所轉化了。

對話的時空，輕鬆起來了。

「人們可能說：『好美喔！』」

「或者，突然想起某個人。」

「有時，人在月光中，會感到淒涼和孤單。」

「有時，人在月光中，特別迷人。」

「沒錯，當人們肉眼看著月亮，腦海裡，接收了月亮的樣子，還會隨著自己的記憶，經歷了獨特的經驗、事件和情感，才有了看月亮的意象。」

「那才叫賞月。」

「可是，我在賞月時，可能不知道，我為什麼會這樣看，為什麼會這樣想，為什麼會受到這樣的召喚。」

「召喚！」以行不自覺的脫口而出，然後，猛然一驚，錯愕不已。

因為，他剛一脫口，喊出話來的那個轉瞬間，他已清晰意識到，自己在說話之前，念頭早已連結上時空梭搶票行動的心境和當時受到「召喚」的體驗了。

他全然地，覺知到自己的思維運作的歷程。

他真得意識到了。

*****

而且，就在以行真真切切的意識到剎那間的意念波動時，就有了一種跳離自我肉身，看見了自我思維的運作能力，就有了某種程度，觀看自我身體的能力。他隨即對時空旅行，升起了積極的關注來了。

「時空旅行，到底要去哪裡？那個目的地，遠嗎？」

「遠喔！」

「多遠呢？」

「那可就遠到人們不曾到達的至遠地啊！」

「想必那個至遠地，比極地還遠。」阿光擺出很懂的樣子來。

而且，不知不覺地，他流露出嘲諷的氣息，又說：「要不然，幹嘛搭時空梭去旅行？」

「沒錯！那兒不僅比極地還遠，還要越過極地海，穿過多重天，到達世界的邊緣。」

「聽起來，像似遠過了億萬光年的世界。」

「確實如此！不過，那個至遠地，也會是至近地啦！」

「我聽錯了嗎？」

「至遠又至近？」

「有這樣的地方嗎？」

「有，時空梭厲害之處，就在這裡。」

「很難懂耶！」

「時空梭，是運用思想力來推進。乘坐時空梭，專心一意，咻——，就能衝破生活情境，穿梭星際，遠離塵世，漫遊虛空，抵達至遠的地方；可是，無論遠到多遠的至遠處啊，還是在至近處，就在生命的本來，生命的核心啊！」

「玄啊！」

「嗯，它確實是無從思索，不可知曉，不可測量，超乎想像，卻一直存在。」

「奧秘呀！」

「沒錯！旅人乘坐時空梭，不僅要拚命地學習，超越時空，終究要能覺知到自己的直覺，終究要跳脫世界，進入真實的生命核心，才能回到本來。並且，在此異世界中，去體驗我們的真實世界，看見新東西，創造新視界。而且，唯有理解了本來的真實，才有可能理解自我的內在與外在的世界。」

「喔，好期待喲！」

「嗯，那才是時空旅行。」

「那個至遠又至近處，有名字嗎？」

「名字，難啊！」關主任認真地思索了一會兒，才說：「不過，勉強可以叫它，無歧地。」

「無奇地？那肯定是個無奇不有的地方。」

「是，它是無奇地。」

「在無旗地，就不會有人算計著我的一小步，人類的一大步啦。」

「是，它是無旗地。」

「我還以為根本沒有這種地方，它只是一個烏托邦。」

「是——，」關主任才一開口，時空旅人就挺有默契地一起大聲說：「無其地。」

然後，所有人都大笑起來。

*****

在大夥兒暢懷笑開後，關主任慢慢的踱著步，低首沉思著好一會兒，又說：

「無歧地啊——」

「吳奇帝？」

「吾祈弟？」

旅人樂此不疲地，操弄話語聲音，戲耍文字符號，一派興味盎然，盈溢著自我的詮釋功力和他人的啟示力量。

雖然，旅人有濃厚玩興，拆解話語，生發新意，玩得挺有創意，無論如何，還只是陷溺在熟知的文字次元裡，大力翻攪著虛擬文字，細細咀嚼了飄忽音符，重複又重複，再現又再現，沒完沒了的文字肉身罷了！

於是，關主任收拾起玩心笑臉，緊鎖眉頭，思索著如何引領旅人，回到文字的最初家園，回歸無歧地。

旅人在轉瞬凝結的氣氛下，也收起玩心，靜默地，等待著。

關主任凝神，緩緩地說：「無歧地，是所有生命的本來，沒有它，誰也活不了。」

「無歧地，像身體裡的心臟嗎？」

「不，一點也不像。心臟，會動，會跳，還有個樣子可看，可摸。人沒了心臟功能，還可用葉克膜暫時代替。但是，無歧地是虛空，是渺無可知之處，是未知的暗物質。」

然後，關主仟鬆了一口氣，慢慢地吟唸了起來。

無就是我，我就是無；
一無是處，一無非處；
無一是處，無一非處，
是無一處，處是一無，
處就是我，我就是無。

「哼？」阿光挑高緊鎖的雙眉，用力地從鼻子噴出氣，哼出聲音來。

「哈！」稚盈對阿光聳了一下肩膀，俏皮的說：「繞口令。」

以行卻有了某種醒覺，十足地，不以為然，對著眼前的「哼哈二將」，搖了搖頭，進而，懷抱起一種對未知的崇敬感來了。

至於，那是什麼？

他茫然無知。

然後，慎重的問著：「請問，您在說什麼？」

可關主任還沒開口回答，還沒發出任何音絲，剎時，以行就在自我的小宇宙裡，有了思維的激衝，有了時空大翻轉，大叫：「啊哈！」

「啊哈！」

一前一後，關主任興致昂揚，重複以行的語語，剎那間，形成了某種和諧的呼應與密切的互動，無意間，竟也提出了某種全然的質疑和難以言宣的啟示。

簡單的對話，一氣呵成；剎那化現，活生生的語言生命力。

於是，關主任滿眼笑意，端視以行好一會兒，然後，拍了拍他的肩膀，又說：「孩子啊！可別被念頭綁架了。無歧地，是吾奇蒂，也是無歧第，也是毋歧諦。不僅如此，它還有許許多多沒被發現的名字；所有的名字，都來自無歧地。可是，再多的語言，也說不清楚，再多的文字，也講不明白，再神妙靈巧的生花妙語，都無法說清楚講明白，無法到達無歧地。因為，無歧地，是唯一，是真理，是本質，是思想力到不了的地方。」

糊啦！

時空行者，感受到一股直灌腦門的能量，驚覺到某種暮鼓晨鐘般的聲音，敲進心坎兒裡，像在一片黑天暗地中，驚見了威猛的閃電，直直向著自己，猛劈下來；又像在寂靜的時空中，被突如其來的響雷，穿心貫耳，震攝靈魂。

於是，旅人的腦袋瓜裡，發動了一種意想不到的思想力，意念激烈波動。因此，旅人的思緒，被弄擰了，被攪糊了；旅人的思維模式，被亂了譜，被拆了套。

就這樣，時空戰士，不明究理的，尷尬了起來。

在尷尬中，以行不服輸的質疑著：「既然，真理說不清，講不明，那不就，不就沒了真理。」

「喔，不，不，不，不是這樣的。無論在哪兒，無論在何時，真理一直都在，一直都在呀！唯有能夠超越時間，超越範疇，超越領域，超越空間，仍然存在的事實，才是真理啊！」

「既然這樣，如何找到真理呢？」稚盈問著。

「這個嘛……」一時之間，關主任語塞在字詞的揀選，然後猶豫地說：「放下吧！放下所熟知，所執著的一切；放下一切，真理就在這兒。」

「放下一切？」以行頓覺某種壓迫感，焦慮地追問著。

「嗯，放下一切，放下念頭，就是了。」

瞬間，強烈的捨不得和被剝奪而去的恐懼感，襲擊了旅人。

「放下一切，那不就……」

「不就，什麼都沒了？」

「嗯，什麼都沒了。」

「沒了！」

「一切都空了！」

「空了。」

阿光嘆了好長好長的一口氣。

他的心頭，浮起一坨烏雲，厚厚重重滯滯鬱鬱，壓得他胸悶不已！

他的身體，像似掉進了滯悶的暗黑能量中，沉重無比；又像被懸吊在半空中，猛踢雙腳，就是摸不著底，靠不了岸，無望至極。

不懂！

真的不懂。

本來殷殷切切期待的時空旅行，為什麼，為什麼，一下子，就變了樣，走了調？

本來實實在在的如常生活，為什麼，為什麼，一下子，變得虛虛邈邈，空空蕩蕩？

旅人感到生命能量，瞬間，被掏空。

一切的一切，剎時落空，直想逃得遠遠的，永不回頭。

永不回頭。

關世英卻挺不以為然。

他輕輕地，拍了拍阿光的腦袋瓜，說：「哎呀，早也空，晚也空；這也空，那也空；可是，事實啊，根本就是不通，不通。」

還好，這一拍，似乎打醒了自怨自艾，自憐自嘆的阿光，而有了難得正經樣。

「那你來說，什麼是空？」

「空啊，是空非空，無有在其中；虛空中，並不是空空如也，而是，存有著

所有物質粒子的本來，存在著非物質性的本質啦！」

「難懂。」

「真難懂！」稚盈嘟囔著。

「這無形的虛空，對眼見為憑的人來說，確實難懂。不過，不用懂，不用想，本來就是了。」

****

以行看了看稚盈，又一派正經樣地，看著關主任，然後，垂下眼睛，盯著地面，雙腳無力地，微微抖動著，怯怯懦懦地，說：「這樣子，會不會過度想像，傳遞出錯誤訊息？」

「嗯，生活本身，本來就是毫無邏輯可言。任何事，都有可能，都有可能呀！所以，為什麼一定要用邏輯來論是說非，演繹意義呢？有時啊，人就是需要從思辨中，跳脫出來，才能契入真理啊！」關主任說了長長一大串話。

可是，以行的耳朵似乎離去，不在現場。

他什麼都沒聽到，什麼都沒聽懂。

不僅如此，他還再次強調，好確定自己的話，有被聽懂了。

「過度想像，可能錯得離譜，不是嗎？」

「確實如此。要不然，哪來嚇死人不償命的十八層地獄？不過，所謂的過度想像，只不過是違背了人類經驗，跳脫了記憶模式罷了！」

「跳脫記憶模式，是這樣嗎？」

「難道，不是這樣嗎？」

終於，時空旅人，安靜了下來，認真地思索著這一番話。

可不知為何，稚盈迷迷糊糊地，像碰觸到一團白花花不分明的意識，一種難以搜索的遙遠記憶。因此，她對「記憶」就有了莫名的關注，矇矇懂懂的重複叨唸著：「記憶有模式啊！」

闗主任頗有意思的看了看稚盈，接著說：「記憶，是還原真相的重要依據。可是，人啊，可不能完全依賴記憶啦！」

「為什麼？」

「因為，記憶不僅有模式，也藏著杯弓蛇影，襯著暗影重重。它啊，挺會欺騙人的感覺，捉弄人的想法呀！」

「那該怎麼辦呢？」

「在時空旅程中，要真實的面對，要勇敢的打碎執著，一切就會沒事。」

偏偏就在這時，老媽的話，出沒在阿光的腦海，湊起熱鬧來了。

「阿光啊，我多吃了幾年飯，懂得比你多。我從遙遠的地方來，走過的路，比你長。你呀，加加減減，聽一聽老人言，對你有好沒壞啦！」

「我要去時空旅行，要去看世界，妳幹嘛跟著來？」阿光自言自語著。

可是，老媽到底來了？

還是，沒來？

＊＊＊＊＊

時空旅人隨著關主任，出了寶藏屋，步上妄川上的石拱橋，朝著宇宙探發局的主要建築群，折返回來了。以行站在高高的石拱橋上，低頭俯視晃動迴旋的妄川水，引來一陣暈頭暈腦不舒服。於是，他快快地跟上大家的腳步，下了石拱橋，欣賞沿路上的飛碟模型、星系圖和諸多航太機種等裝置藝術，好不容易又開心了起來。沒多久，一行人又走入長長的地道裡了。這時，老爸的話，閃現腦海，持續干擾著他。

「神話，不就是故事嘛！」

「那些騙人的話，你可別太迷信啦！」

「別玩啦！早已經是太空科技時代了，你幹嘛還玩這些荒謬的上古遊戲呢？」

哎，老掉牙的話語，早就飄散空中，早該遠遠離去，不見蹤影才是啊！

可它們偏偏一再地，來了又去，去了又來，老是出出沒沒在以行的記憶中，冒冒失失的闖蕩在他的腦海裡，老實不客氣地一再干擾他的思緒，讓他流連在忽遠忽近的時空裡，讓他迷茫在虛虛實實的時空中。

而且，更糟的是，在時空旅行中，這些陳年話語，真像魔豆碰到水般，長出鬚根，抽長，四處蔓生，繁衍不已。這些陳年話語，真不知碰上了什麼養分，或沾上了什麼催化劑，竟然變得異常活躍，而隨境攀緣，轉化的異常頑強，一再無謂地牽牽扯扯，干擾著以行的心緒，左右著他的思維，讓他一而再，再而三的閒扯淡，跳不出「神話」漩渦，掙不掉「神話」包袱。

「神話故事，就是記憶。」

「超強的記憶，還能流傳千萬年哩！」阿光也幫腔助勢來了。

關主任停下腳步，若有所思，看了看時空旅人，才說：「你們知道嗎？這世界上，存有千千萬萬個神話；而千千萬萬個神話，卻說著同一個故事。」

「這麼神?!」

「的確如此。要是沒了神話，就像扔出石頭的空手，再也掌握不住石頭的重量了。那時啊，神話就會遭到空前絕後的災難，陪葬在逝去的時空中了。」

「聽起來像場浩劫。」稚盈應著。

「對啦！那就是道道地地的神話浩劫。所以，時空梭會帶著人們回到過去時空……」

「去旅行。」阿光快速搶話。

「沒錯！時空旅行，玩時空遊戲。」

「難道沒有真正的挑戰了嗎？」

「這才是真挑戰啊！」

「哦？」

「每一趟時空旅行，會是自我追尋的歷程。真正的旅程，就能還原神話，走向回歸的大道。」

「要救回什麼神話呢？」以行也問。

「那就跟每個人的文化潛血脈和任務選擇有關囉！不過，話又說回來，每一趟任務，總是跟自己的切身經驗，緊密關聯。」

「跟自己有關啊！」

「沒錯！我的世界，是我選擇來的。」

「難嗎？」

「不難。不過，總會有些挑戰和試煉，要我去面對……」

「面對什麼呢？」

關主任看著茫然焦慮的旅人，就帶著安撫的語氣緩緩說著：「其實也沒什麼，沒什麼大不了啦！只不過會有些難題，橫在眼前，要人去面對。」

「一路行來，不就是這樣。」

「是啊！最終就是要面對真實的自己，探究未知的自己，突破自己的宿命罷了！」

旅人矇矇懂懂，認真地思索著這一番話。

「那麼，準備好去創造自己的勇氣傳說了嗎？」

時空戰士點了點頭，準備接受試煉。

「那麼，來，從這邊來，要進入時空梭飛行模擬室，學習操作課程了。」

「課程要多久？」

「那可不一定。」

「怎麼說呢？」

「課程的長短，端看個人的理解能力和應變能力囉！」

「是這樣喔！」

「沒錯！」

「會有特殊狀況發生嗎？」

「安全嗎？」

「這就難以預料囉！要不然，怎麼會有『意外』這個字詞？」

關主任有點尋開心，又有點警告的意思。

時空旅人突然靜了下來，不多說話了。

「我這樣說，你們會害怕嗎？」

「害怕？哦，不會。」

「當然不會！」

「才不會咧！」

「很好。不過，有點擔心、害怕，也是正常的事。因為，旅程中，將有一場場的試煉。唯有通過試煉的戰士，才能完成任務。基本上，這趟旅程，要前往的時空座標，已輸入導行系統了。還有其它問題嗎？」

時空旅人，你看我、我看你，然後，搖了搖頭。

「那麼，帶著你們的行囊，即將出發囉！」

「行囊？什麼行囊，你是說背包嗎？」

「喔，不——，我說的是，不論到哪裡，總是扛在身上；不管多麼沉重，不曾卸下的那種包袱。」

「有這種行囊嗎？」

「嗯，每個人身上或多或少，總有一些吧！這種行囊，有的巨大，且到處招搖，有的細微，且隱密，連自己都可能看不見喔！」

*****

好戲上場囉！

時空旅人一進模擬飛行室，就興奮的不得了。

至於，行囊到底是什麼東西呢？

一時之間，他們可懶得去猜，懶得去想，一心一意，直想著要搭乘時空梭囉！

—故事待續二部曲—

《無歧行》三部曲 01

《無歧行》首部曲　無歧地

作者	林秀兒
封面\繪圖	林秀兒
版面構成	王君強、林嘉鈺
執行編輯	王君強、林嘉鈺
出版者	天鵬文化出版社 新北市板橋區成都街 53 之 3 號
電話	02-29571984
銀行戶名	天鵬文化出版社林秀兒
銀行帳號	兆豐銀行 板橋分行 206-09-01396-7
郵局戶名	林秀兒
郵局帳號	板橋後埔郵局 0311035 0520092
天鵬文化網址	www.skybirdculture.com
讀者服務信箱	info@skybirdculture.com
定價	新臺幣 400 元
初版一刷	2018.10.10
ISBN	978-986-97061-0-0
ISBN	978-986-97061-3-1(全套：平裝) 新臺幣 1200 元